D1582821

La Maison
de Patrice Perrier

La Maison
de Patrice Perrier

Ce que l'on connaît une seule fois
dans la vie, c'est la fraîcheur idéale
et pure du premier amour qui, d'apparence si fragile, — pour les autres ou vu de loin, — est fort, noble,
tenace, aimable et délicieux comme
la belle religion de notre enfance.

Par
Gaston Chérau
de l'Académie Goncourt

Paris
Nelson, Éditeurs

25, rue Denfert-Rochereau
Londres, Édimbourg et New-York
1927

GASTON CHÉRAU
Né en 1874

———

Première édition de
La Maison de Patrice Perrier » : 1924.

A

MA FILLE FRANÇOISE,

qui a grandi si vite en un temps si redoutable ; pour que, plus tard, elle trouve dans cette tendre histoire de deux cœurs silencieux les traces d'une époque dont la simplicité charmante ne reparaîtra plus jamais chez nous.

G. C.

PREMIÈRE PARTIE

LA MAISON
DE PATRICE PERRIER

M. EMMANUEL PERRIER était un homme à l'image de sa maison.

Il était grand, large d'épaules, assez maigre, et, comme disait défunt son père, trop souvent disposé à être « sur la rue », c'est-à-dire qu'il aimait rêvasser sur le pas de sa porte, jambes écartées et mains au dos. Mais il était franc et clair.

Sa maison était vaste, composée d'immenses pièces dont quelques-unes n'étaient pas meublées, pas trop accueillante, mais sans mystère ; on franchissait une marche et l'on était dans la salle à manger, au cœur de l'habitation.

On abordait la maison de M. Perrier comme on abordait M. Perrier lui-même, et comme

271   9

M. Perrier abordait les gens, sans préambules ; de loin, on éprouvait quelque appréhension à s'approcher de cet homme, et pourtant dès les premiers mots il vous mettait à l'aise. Toutefois, on n'avait jamais le sentiment qu'on deviendrait un jour son ami. M. Perrier accueillait poliment ses relations et tout le monde ; il n'avait pas d'intime.

Il y a, vraiment, des maisons qui peuvent communiquer leur image et leur âme aux gens qui les habitent. Or, la maison de M. Perrier, de loin, vue du tournant de la route, avait un peu l'air revêche d'une caserne ; quand on y était, on était rassuré. Et M. Perrier, de loin, avait l'air d'un créancier ; de près, on se persuadait promptement que c'était un aimable citoyen. Il avait la voix forte, mais des pensées charmantes : sa maison aussi. Elle grondait au moindre bruit, mais on n'en faisait pas souvent d'assez forts pour éveiller leur écho en elle : la chute des pincettes, peut-être ?... Et puis, sans être frivole, elle recélait des grâces qu'on découvrait une à une. Enfin, elle commandait un grand potager encerclé d'une épaisse charmille où, durant l'été, régnait une fraîcheur de bords de rivière et une paix de musée de sculpture. Les jardins, ce sont un peu les pensées échappées aux maisons et qui se sont fixées près d'elle. Celui-là avait de la gravité et de la fantaisie, des utilités renouvelées et d'antiques frivolités. De vastes places étaient réservées aux légumes de saison, tandis que d'autres ne changeaient jamais d'attribution : le carré des asperges, un carré d'artichauts, ainsi que, le long de la charmille du nord, une bordure de framboisiers. Tout y apparaissait strictement ordonné et en service actif. Pourtant, dans un coin, sommeillait l'eau d'un bassin où l'on ne puisait jamais ; dans un autre coin, c'était « le pavillon », qui ne servait guère qu'aux chauves-souris ; depuis longtemps on y avait oublié un vieux coffre et des bancs de jardin. Tenaces inutilités qui se soudent au sol et n'ont pas d'âge.

Tout autour de l'enclos régnait la charmille. Inutilité aussi, bien sûr !

La charmille ! C'était un merveilleux domaine, sans destination pratique. M. Perrier se serait peut-être résolu à en tirer des cordes de bois si quelque chose ne l'avait empêché de commettre ce sacrilège. C'était là où sa femme s'était plu à coudre et à broder. Une morte qui a aimé une chose l'a imprégnée d'elle pour l'éternité. M. Perrier avait certainement, lui aussi, des souvenirs heureux qui sommeillaient sous ces trois longs tunnels de verdure... On ne toucha jamais à la charmille que pour l'émonder : ce fut probablement dans cet éden que, à son tour de génération, Patrice, le fils de M. Perrier, gagna le goût de rêvasser.

On ne sait pas assez ce que le caractère d'un homme doit au poison versé par les choses qui ont encadré son enfance.

Sur la façade de la maison, par les jours de pluie d'ouest, on distinguait encore, à travers les couches de chaux, certaines lettres d'une grande enseigne : .. ..AL .LANC.

AU CHEVAL BLANC

Avant d'appartenir à M. Perrier, la maison était une auberge, aussi bien posée pour guetter les rouliers qui se rendaient à la ville que pour arrêter ceux qui en sortaient, la ceinture garnie d'écus. On y logeait *à pied et à cheval* et on y vendait *le vin à l'assiette ;* les écuries *sans garan-*

tie, étaient de l'autre côté de la route. Depuis longtemps, depuis que M. Perrier avait acquis la maison, les écuries ne faisaient plus partie du lot ; elles appartenaient à Sébastien Duvignaud ; il y remisait ses fourrages. De temps à autre, M. Perrier disait à Sébastien Duvignaud :

— Ils tiennent toujours, tes bâtiments ?... Tu as de la chance, mon ami ! Je m'imagine qu'ils tiendront longtemps si tu n'y touches pas ; mais, par exemple, ne t'avise pas de les monter d'un étage !

Il avait mis dans la tête de ce Duvignaud que le sol avait un mauvais fond.

Ce qu'il voulait, M. Perrier, c'est que la vue des coteaux ne lui fût pas bouchée. Il ne regardait pas souvent de ce côté, — d'ailleurs, la campagne lui était indifférente, — mais il lui apparaissait que, si des bâtiments s'étaient interposés entre l'horizon et sa demeure, il en aurait été moins riche.

Et puis, il y avait aussi Honorine à ménager.

Elle, la campagne lui tenait toujours au cœur. Elle n'y allait jamais, mais de l'avoir tant connue, dans sa jeunesse, elle n'avait plus besoin de la voir pour se la représenter. Un mauvais coup de vent et elle disait, comme si le malheur affectait son propre bien :

— Bonne sainte Vierge !... Il n'y aura pas de pommes cette année !

Et par les belles journées de printemps, elle était radieuse, en calculant :

— Si seulement il pleut, et qu'il fasse un peu de chaleur après, pas trop, et qu'il y ait encore deux jours de pluie... Ah ! ben, vous verrez ça ! On n'aura quasiment jamais eu des blés pareils !

Sans se douter qu'elle ne les verrait pas, ces blés, elle astiquait et cuisinait dans la maison Perrier, satisfaite de son sort, ne se représentant jamais qu'elle était attachée à sa niche et que sa chaîne ne serait rompue que par la mort.

Du temps qu'elle était fille de ferme, elle n'avait pas pour la campagne un tel amour. Il avait fallu, pour qu'il se définît, les années d'éloignement, celles pendant lesquelles, privé de ce qu'on a connu, les impressions de la jeunesse se décantent, se clarifient et s'ennoblissent. Maintenant qu'elle ne voyait plus les champs, maintenant qu'elle vieillissait si vite, Honorine rendait à la terre le culte exalté de l'exilé pour son berceau.

C'est toujours ainsi : les regrets sont plus co-
lorés et les espoirs plus actifs que le présent.

Quand elle avait été engagée comme gar-
dienne par les Perrier, elle ne savait pas trop ce
qu'elle aimait autour d'elle. Elle était contente
de quitter la ferme, contente d'être à deux pas
de la ville, de ne plus patauger dans le purin des
étables, de ne plus entendre parler de récoltes,
de labours, de semailles, de bêtes malades, de
foires, et de tout ce qui anime les passions sages
des hommes du sol ; elle était contente d'avoir
une chambre, elle qui n'avait couché que dans
un fournil, et contente de se dire : « Demain,
c'est lundi, et ça sera tout de même dimanche
pour moi, puisque je suis à la ville. » Pourtant,
certaines graines du pays abandonné étaient demeurées en elle ; et elles avaient germé.

Honorine ne s'en était pas doutée, parce que
dès qu'elle était arrivée dans la maison Perrier
on lui avait dit :

— Voici le petit !

C'était un beau petit, mais si faible qu'elle ne
se serait pas résolue à le quitter avant de l'avoir
mis d'aplomb. Ensuite, elle avait fini par s'ac-
coutumer à ne plus jamais penser qu'elle pour-

rait changer sa place pour une autre meilleure.
Elle s'était rangée parmi les choses qu'on ne
déplace pas : la huche, l'horloge, la crémaillère,
le pétrin du fournil, dont on ne se servait plus,
mais qu'on gardait quand même.

Le poupon était devenu un enfant ; la maman
était morte : Honorine avait compris qu'il était
un peu plus à elle. A l'âge où il avait commencé de
porter des culottes, il y avait longtemps qu'on ne
se serait pas représenté la maison sans Honorine.

Son nid était fait. Elle ne s'était aperçue de
rien.

On ne la commandait point, mais elle ne commandait pas non plus. Elle était à son ouvrage
avec autant d'application que M. Perrier à son
oisiveté bourgeoise.

Quelquefois, pourtant, Honorine avait dû
rentrer des paroles : elle aurait voulu des lapins
et une chèvre et, même, une vache — les lapins
et la chèvre pour qu'ils mangent les épluchures ;
la vache, parce que, le matin, à l'heure où l'on
apportait le lait pour la maison, Honorine avait
un mauvais plissement des lèvres en donnant
les deux sous. Si elle avait eu une vache, c'eût
été à elle qu'on aurait remis de l'argent !...

Malheureusement, M. Perrier n'aimait ni les lapins, ni les chèvres, ni les vaches, aucun animal, enfin, puisqu'il aimait sa tranquillité.

Sans accuser son mauvais sort, Honorine avait continué de se taire.

Tout de même, quand il lui arrivait de traverser la charmille, cela lui faisait mal au cœur de voir la belle herbe verte qui montait inutilement sans qu'on en tirât profit ; et lorsqu'elle raclait les carottes, et lorsqu'elle coupait de la salade, elle pensait aussi aux lapins. Si elle avait été rusée, elle aurait expliqué à Patrice qu'il devrait aimer caresser les bêtes... Le petit Patrice en aurait parlé à son père... Honorine ne lui avait jamais soufflé mot de cela. Il y a des situations qu'il faut savoir accepter en silence.

Bien mieux, si quelqu'un lui disait :

— Honorine, vous devriez avoir une chèvre.

Elle répondait :

— Une chèvre ? Pour avoir des tracas...

C'était elle qui prenait à son compte ce que M. Perrier aurait pu répliquer.

Des tracas, il y en avait assez ! Depuis la mort de Mme Perrier, Honorine s'imaginait que l'existence en était pavée. Quand elle apercevait une ride au front de M. Perrier, elle étouffait un soupir, soupçonnant des choses tristes. Le facteur, aussi, lui causait des terreurs ; c'était lui qui apportait à M. Perrier des nouvelles de sa fortune, et Honorine ne s'était jamais faite à cette idée qu'on pouvait avoir quelque part de l'argent qui fructifiait, comme ça, sans terre, ni bestiaux. Elle avait vaguement conscience que là où était l'argent, dans ces lieux inconnus, il devait y avoir l'équivalent des bourrasques qui couchaient la récolte, des gelées tardives, des coups de pluie ou des passes de mauvaise sécheresse qui compromettaient les revenus, et même de grandes catastrophes qui engloutissaient le capital. Alors, le facteur, pour elle, c'était le porteur de mauvais présages. S'il ne s'était jamais montré, elle aurait trouvé d'autres sujets de tourments : il y en a toujours dans une maison. Pourtant, dans celle de M. Perrier, tout était net et si réglé que l'imprévu en semblait banni : les grands nettoyages précédaient les grandes fêtes du calendrier, la maturité des fruits commandait les confitures ; septembre, l'entrée de la réserve de bois ; novembre, les salaisons : rien de ce qui se produisait n'était inattendu.

Avait-on un invité à déjeuner ? Huit jours au-paravant on le savait et Honorine avait le temps de prendre son élan. Une seule fois, quelqu'un avait débarqué sans crier gare. Cette fois-là, Honorine avait cru mourir d'attaque ! C'était quand le cousin Eugène Patureau...

D'ailleurs, voilà comment il surgit :

Un matin, la diligence s'arrêta devant la porte.

Honorine arrachait l'herbe qui avait poussé le long de la maison, parce qu'on était à la veille de la Fête-Dieu et qu'il fallait que toutes les rues fussent propres, à cause de la procession. Le dernier reposoir était près de la maison Perrier, à l'orée de la ville.

Honorine s'interrompit de gratter, stupéfaite, et elle vit descendre, du coupé de la voiture, un homme botté qui parlait haut, commandait sec et jurait en riant. Le conducteur rangea ses bagages près de la porte, reçut l'argent du voyage, salua poliment et remonta sur son siège. La diligence n'était pas au tournant de la route que le voyageur était déjà chez M. Perrier ; et il criait :

— Ho ! Perrier !... Ho ! Perrier !

Honorine se demandait ce qu'elle allait faire. Tout de même, à l'idée qu'il y avait un étranger chez eux, un accès de colère la poussa dans la pièce.

L'intrus était là, tout à fait à son aise. Sans retirer son carrick, il avait jeté son chapeau sur une chaise, il avait déniché un verre sur une étagère de la souillarde et, paisiblement, il le remplissait d'eau.

Il ne se nomma pas ; il demanda le maître — de quelle voix !

Il reprit, après avoir encore juré :

— Enfin, où est-il ?

Honorine, subjuguée, répondit :

— En ville !...

Elle volta et s'enfuit, suffoquée, abandonnant la place, se disant qu'il valait autant courir chercher du secours que de tenter de mettre cet énergumène en fuite.

C'était le cousin Eugène Patureau, fils de feu Patureau et de dame Héloïse Perrier, celui qui était allé dans les Amériques...

Il s'installa pour trois semaines.

Ah ! on en entendit des histoires !...

Il était parti pour Caracas ; il y avait fait fortune, et puis on l'avait ruiné. De Caracas, il était allé à Pernambouc ; il y avait refait sa fortune et, une autre fois, il avait été ruiné... Mais que ces ruines étaient donc belles ! Elles n'évoquaient ni huissiers, ni saisies, ni démêlés, ni tribunaux : on était ruiné, voilà tout ! C'est-à-dire que, sans cesser d'être un honnête homme, pour un temps, on ne pouvait plus acheter de bœufs, de cochons, de moutons, de chevaux, ni de chargements de sucre, ni de balles de coton : on était pauvre comme Fumeron — celui du faubourg à qui Honorine donnait, chaque semaine, un quignon de pain et les rognures du jambon. Pourtant, Fumeron, lui, il était fils de pauvres et se devait de rester pauvre toute sa vie ; tandis que là-bas, chaviré dans la pauvreté, on n'y restait pas longtemps : il suffisait qu'une nouvelle idée visitât votre cervelle. Dans cette contrée, les idées tenaient lieu d'héritages. Alors, on recommençait à gagner de l'argent, vite, vite, pour rattraper le temps perdu, et parce que les idées s'exploitent rondement au pays des singes, des caïmans et des colibris.

C'est ainsi qu'avait agi le cousin Patureau.

Et il racontait ses campagnes en conquérant du monde pour qui le code et les coutumes des civilisés n'existent plus. Il citait les noms de ses voleurs, de ses chefs « sauvages », des agents royaux qui étaient tous si bêtes qu'on ne pouvait plus les changer de postes, et même, aussi, des gens qu'il avait roulés, comme si la terre entière avait connu ceux-ci et ceux-là. Ses affaires, à lui, intéressaient l'univers.

M. Perrier, les premiers jours, avait tenté d'endiguer cette faconde : il lui était désagréable qu'on eût de telles allures sous son toit, devant son fils qui était là, bouche bée, conquis ; mais le cousin avait eu raison de lui. Le troisième jour, M. Perrier hochait encore la tête ; il ne pouvait plus croire qu'Eugène Patureau mentît si effrontément. Pourtant, il souhaitait la fuite de cet oiseau de passage qui troublait son domaine bourgeois en élargissant si démesurément le monde : il avait surpris Patrice en train de poser certaines questions sur la durée du voyage, sur ses risques, sur ce que pouvait faire un garçon de dix-sept ans, là-bas...

M. Perrier était décidé à brusquer les choses,

lorsque la diligence apporta une caisse qui avait été égarée à Bordeaux : le cousin cligna de l'œil, sourit, demanda un marteau et un ciseau et se mit à chanter un refrain nègre en ouvrant la caisse. Elle était bourrée de vêtements, de buffleteries, de poignards, de fusils, de pistolets, de colliers ; cela sentait le bouc et le poivre.

— A toi, Patrice !... Et ça, pour le papa !... Et ça, pour Honorine !

Il y en avait pour tous : on ne douta presque plus de la fortune du cousin.

M. Perrier surveilla de plus près son fils. Il lui apparaissait que s'il le laissait avec Patureau il ne le reverrait plus.

Un jour, le cousin donna des conseils à Patrice :

— Lis, mon petit ! Lis tout ce que tu trouveras, tout ce que tu voudras... Si j'avais plus d'instruction, moi, vois-tu, je serais le maître d'un grand pays. Il est trop tard, maintenant ; je n'ai plus le temps... Et la caboche est trop dure.

Patrice n'eut pas besoin qu'on le lui répétât. Le soir même, avant de se coucher, il se mit à dévorer un livre. C'était une *Histoire des grandes aventures* qu'il avait tirée du grenier. Mais voilà qu'au milieu d'un chapitre, la porte de la chambre s'ouvrit et que M. Perrier parut, demandant :

— Que diantre fais-tu donc à cette heure ?

Il avait la manière d'interroger pour qu'on ne trouve rien à répondre !

Le livre tomba des mains de Patrice...

Il ne le ramassa que le lendemain matin, à l'aube, pour le fourrer dans son lit, et reprendre sa lecture, passionnément.

Ce jour-là, M. Perrier eut, sous la charmille, une longue conversation avec le cousin. Une heure après, en se mettant à table, tous les deux avaient des mines qui n'engageaient pas à rire.

Dans l'après-midi, profitant d'un moment où M. Perrier était absent, le cousin dit à Patrice :

— Si ton père n'avait pas des idées sur toi, je me chargerais de te faire une existence magnifique !

Cela fut prononcé sur un ton de rancune ou de colère blanche — ce qui est à peu près la même chose.

Il ajouta, en lui donnant du coude dans les côtes :

— Une autre fois, nigaud, tu tâcheras de ne pas te faire pincer à lire au lit !

Patrice crut que ses veines se vidaient. Du moins, pensa-t-il, il y aurait un secret entre le cousin et lui ! Il en conçut un orgueil qui le réconforta. Il posa des questions plus précises, ne parla pas encore de la possibilité de s'expatrier, lui aussi, mais Patureau le devina.

Alors, le tentateur eut peur d'être allé trop loin ; il revint en arrière.

Patrice ne le suivit pas.

Le plus extravagant, c'est qu'Honorine s'était laissé gagner par les manières de l'intrus ; il lui avait enseigné des recettes : celle du canard à la betterave, des salades de jeunes chardons ; il lui avait fait cuire des œufs sous la cendre avec un capuchon d'aromates. Il l'avait conquise, comme il avait conquis les autres.

*
* *

Le jour où la diligence vint chercher M. Patureau, Honorine pleura dans son tablier. Il lui paraissait qu'elle se préparait à rentrer dans une

prison dont elle connaissait trop bien le ronron-
nement monotone.

Quand elle se retrouva seule, dans sa grande
cuisine, quand elle s'en fut au jardin pour chercher les légumes du soir, quand il lui fallut, enfin, mettre la nappe sur laquelle deux couverts
seulement seraient disposés, l'étreinte dont elle
n'avait pu se débarrasser lui serra plus violem-
ment la gorge. Elle prit en horreur tout ce qui,
précisément, lui avait fait aimer cette vie : la
paix quotidienne, le recommencement de la
même tâche, l'assurance que cette tranquillité
ne serait plus troublée, le silence !... Le silence
lui-même qu'elle avait tant chéri, dans lequel il
lui semblait qu'elle se réduisait, le silence qui
était la meilleure de ses voluptés inconscientes,
elle le redouta comme un toit menaçant !

Elle voulut réagir contre cet enlisement. Un
coup de vent était venu de dehors, il avait apporté des parfums sauvages, des éclats de lumière avec des éclats de voix, et de grands mou-
vements...

Elle s'attira une observation de M. Perrier :

— Moins de bruit, Honorine !

Durant le dîner, on ne parla pas du voyageur,

mais chacun sentit bien que l'on pensait à lui. A l'heure qui s'émiettait si discrètement du haut de l'horloge, il était cahoté dans la guimbarde qui, au milieu des ferraillements, des grince-ments d'essieux et du tintamarre des vitres, l'emportait vers Bordeaux, vers la mer, vers le paradis des singes et des perroquets.

Il y avait des soupirs qui s'interrompaient brusquement. Patrice se taisait. M. Perrier était obligé d'assurer sa voix pour prononcer qu'il avait rencontré un ami sur la place du Minage...

La maison était trop grande ! Et puis, mieux qu'un anniversaire, cela rappelait certaine tris-tesse qu'on avait eu beaucoup de peine à chasser — celle des jours qui avaient suivi la mort de Mme Perrier : dans ce temps-là, Honorine, plus vaillante, s'était dépensée pour combler le vide noir qui s'était creusé si soudainement. Tandis que, maintenant !...

Ah ! elle était sans muscles ! C'était comme après une grande chute sur la dure réalité. Du sommet où elle s'était juchée, elle avait aperçu de grands pays : elle n'avait pas fait de pro-jets d'expédition lointaine, seulement elle avait conçu un nouvel entendement de l'existence.

Une force sourde l'avait émancipée ; l'habitude de l'obéissance, qui la repliait avant même que les ordres lui fussent donnés, s'était relâchée... Elle était sur le chemin de la révolte.

Un jour que les dames Souriceau étaient venues demander si M. Perrier consentirait à leur donner l'autorisation de faucher l'herbe de la charmille qui séchait sur pied, ne dit-elle pas qu'elle les y avait autorisées ?...

M. Perrier n'eut même pas un mot : il acquiesça de la tête et, devinant le travail qu'avait accompli la bête étrangère, il laissa Honorine s'exclamer avec envie :

— Elles ont une chèvre, elles !

Le lendemain, à Patrice qui se promenait dans le jardin, elle parla de la chèvre des dames Souriceau, et surtout de Mlle Adèle, dont elle fit un tel éloge que Patrice s'imagina que, déjà, on pensait à elle, pour lui ; alors, il s'irrita contre les dames Souriceau, contre Honorine, contre tout, contre lui-même.

Encore un que le souffle de la révolte avait caressé !

Il se répétait qu'il avait dix-sept ans passés, qu'il atteindrait ses vingt-cinq ans sans que se

dessinât un autre horizon : il était voué à ce
jardin, à cette maison, à cette charmille... Il
l'aimait pourtant bien sa charmille, mais, en de
tels moments, sait-on au juste ce que l'on aime
et ce que l'on déteste ?

Il aurait fallu qu'on lui dît : « Nous allons
abattre la charmille et, du jardin, nous ferons
une belle vigne. » Il aurait reconquis sa raison.
Il n'aurait pas fallu, surtout, qu'on lui parlât de
Mlle Adèle : elle représentait l'ordre et le calme,
ainsi que la paix du foyer, précisément ce qu'il
s'était pris subitement à détester.

A la fin de la semaine, ne pouvant plus mater
son énervement, il aborda son père et lui avoua
qu'il s'ennuyait, et qu'il souhaitait faire quelque
chose.

M. Perrier réfléchit un instant et dit :

— Je verrai Me Bousseron. S'il veut de toi
dans son étude, tu feras du notariat.

Cela tomba sur les épaules de Patrice comme
un seau d'eau glacée. Il s'était imaginé que son
père jetterait les hauts cris, qu'il essayerait de
le raisonner et que, à la faveur de son trouble,
on pourrait examiner des situations lointaines.
Il avait espéré qu'on lui proposerait de voyager,

de courir l'aventure ; tout juste son rêve, enfin !

Et M. Perrier vit Me Bousseron.

Aussitôt, Patrice entra chez le notaire.

Il partait de chez lui le matin, y revenait pour
déjeuner, en repartait aussitôt ; on ne le re-
voyait qu'au moment du dîner, éreinté par le
parcours.

En six mois, il avait appris à se faire les
ongles et à tailler les plumes d'oie. Il apprit
aussi à jeter un coup d'œil, en passant, vers les
fenêtres de l'hôtel du *Lion d'or* et à rêver de la
jeune fille qui lui était apparue là.

A dater de cette époque, le chemin ne lui
coûta plus de peine. Il ne parla de rien à personne, organisa sa vie tout seul, en timide qui
prend des résolutions extrêmes...

Il en était à son premier amour, celui qui
nous ronge l'âme sans défense, tandis qu'on se
tait sous les commandements d'une pudeur
toute neuve, dangereuse comme une vipère
éveillée par les premières chaleurs du printemps ; celui aussi qui dépose dans votre esprit
le précieux trésor du rêve que vous garderez
toute la vie, et qui vous reviendra dans les

moments tragiques, dans les moments doux, dans tous les moments — ceux de la gaieté exceptés — avec le jeune visage de Celle qui s'est imprimée en vous. Ni le malheur, ni même la fortune ne l'effacera. Il commandera, et c'est lui qui inclinera votre esprit à n'admettre comme beauté que celle qui se rapprochera de la sienne. Plus tard, alors que d'autres femmes auront traversé votre pensée, c'est lui que vous retrouverez, le plus religieux, le plus ancien, le plus frais — inattaquable !

Quand il arrivait qu'on parlât devant lui de Mlle Gabrielle Jousseaume, une chaleur le gagnait et il se sentait comme soulevé par une vague qui le faisait monter très haut, jusqu'à ce qu'il eût un grand vertige. On avait coutume de dire d'elle que c'était la plus jolie créature qu'on ait vue : elle ne lui apparut plus que comme la perfection humaine. Et il était rongé d'amour en se disant qu'il faudrait bien que Gabrielle s'aperçût qu'il l'aimait : il l'aimait avec une ferveur si respectueuse qu'il aurait été impossible à Gabrielle de s'en douter.

Le plus vieux des clercs, qu'on nommait le père Lefranc, se rendait au *Lion d'or* chaque

samedi pour faire une partie de billard à blouses.
Patrice n'avait jamais osé l'accompagner, mais
le dimanche il était à l'office que Gabrielle suivait : à deux rangées de chaises d'elle, il la bu-
vait des yeux en se promettant d'aller au *Lion
d'or* le samedi suivant... Et le samedi, quand on
lui proposait la partie de billard, il avait toujours un motif qui l'appelait ailleurs.

*
* *

Un lundi, le père Lefranc lui annonça qu'on
avait parlé de lui la veille, chez Jousseaume.

Ce fut comme si on l'avait informé d'une
catastrophe ! Sans qu'il osât demander quels
propos on avait tenus, on lui apprit que l'hôtelier désirait louer une maison que M. Perrier
possédait en ville.

Patrice répondit délibérément :

— Qu'il s'adresse à mon père. Je ne m'occupe
pas de ces histoires-là.

La satisfaction qu'il éprouva !... Sot ! Et le
mal qu'il se fit !...

Il n'en dormit pas de la nuit ; le lendemain,

avant de se mettre en route pour l'étude, il communiqua pourtant à son père les intentions de l'hôtelier.

M. Perrier ne prononça ni oui, ni non.

— Je ne savais pas que Jamet devait nous quitter ? risqua Patrice.

— Jamet ne me quitte pas : il veut une réduction et Jousseaume a dû l'apprendre, répondit M. Perrier.

C'était la première fois que Patrice mettait le nez dans les affaires de son père. S'il s'était écouté, il l'aurait engagé à louer sa maison à l'hôtelier, mais il lui parut que ce qu'il avait au plus profond de son cœur aurait éclaté aussitôt. Alors, il regretta d'avoir répliqué avec tant de désinvolture au père Lefranc. Il essaya de renouer avec lui la conversation de la veille, cependant il alla chercher le sujet trop loin : le père Lefranc ne l'accompagna pas.

Le soir même, impatient d'entendre prononcer le nom qu'il souhaitait, il demanda si les Jousseaume étaient riches.

— C'est-à-dire, fit le père Lefranc, que si ça continue, ils se retireront avec un joli magot !... Vous savez, pour les marchés et pour les foires,

ils en font des journées ! Si Jousseaume avait
une cuisinière, ça, ils pourraient attendre longtemps ; mais c'est lui qui est aux fourneaux, et
sa femme à la salle. La petite s'occupe déjà...

Patrice ne leva pas les yeux de son papier
timbré.

— Ils céderont leur commerce à leur gendre,
continua le père Lefranc ; et s'il est comme Jousseaume, un bon cuisinier, la maison sera solide,
allez !... La petite s'y entend.

Gabrielle !... Gabrielle au comptoir, ou occupée à servir les clients ! Allons, allons, quelle
énormité !

En rentrant, le soir, il s'abstint de passer devant le *Lion d'or* et cela lui valut de ne pas dormir de la nuit. Il essaya de lire et, ne parvenant
pas à fixer son esprit, il ferma le livre pour se
mettre à mieux penser à elle, de toutes ses
forces, d'abord pour maudire le sort qui les
séparait.

Le jour le surprit ainsi.

Il se leva et prit une grande résolution : il
irait au *Lion d'or*, il fréquenterait chez Jousseaume, il... — oui ! — il parlerait à Gabrielle.
Il était nécessaire d'agir sans retard parce que,

on le lui avait assez dit, celle-là était assez jolie pour ne pas moisir !

Il se tortura et il ne mit pas son projet à exécution.

Le samedi suivant, en sortant de l'étude, il demanda au vieux clerc :

— Vous ferez votre partie, ce soir ?

— Voulez-vous venir, monsieur Patrice ? répliqua le bonhomme.

Il accepta, mais avec une telle maladresse qu'il demanda, pour se donner une contenance, quels habitués il rencontrerait. Il ne sourcilla pas quand le père Lefranc les lui énuméra, cependant un grand froid le saisit au cœur : il se représenta, dans la salle du *Lion d'or*, avec les joueurs Barillet, Rochon, Aubuissert, le bottier, le chapelier, le cordier. Il y avait aussi les deux gardes champêtres et le sonneur ; et puis M. Mançon, un vieux célibataire, le seul pilier de cabaret du pays, avec qui l'on n'aimait pas être rencontré.

Le soir, en rentrant chez lui, il annonça qu'il ressortirait après le dîner : or, il gagna sa chambre et n'en descendit que le lendemain. Il n'alla pas à la messe et se promena sous la charmille toute la matinée.

M. Perrier, qui l'avait surveillé, finit par le questionner.

Patrice haussa les épaules évasivement : il n'avait rien ; il était un peu malade... Rien, enfin !

— Bon, bon ! dit son père en le quittant. Néanmoins, tu sais, mon garçon, pas de bêtises !

Pas de bêtises ?...

Il en blêmit, et se jugea perdu.

Le lundi, à l'étude, le père Lefranc lui reprocha de s'être fait attendre en vain chez Jousseaume.

Cela lui causa un grand allégement.

— J'avais une de ces migraines ! dit-il.

Le père Lefranc ajouta, en chaussant ses lunettes :

— J'aurais bien voulu que **vous** veniez tout de même ; quand ça n'aurait été que pour fermer le bec à Mançon. Il chantait que votre père ne vous laisserait pas sortir.

Patrice risqua un petit rire, mais cela sonna si faux qu'il n'insista pas.

Alors, le soir du samedi suivant, plein d'audace, il entra au *Lion d'or* à huit heures, et il serra la main de tous ces gens qu'il ne connaissait que pour être salué par eux, dans la rue.

Un moment après, quand la partie commença, et qu'on lui offrit d'y prendre part, il se récusa.

A la caisse, il n'y avait que Mme Jousseaume, qui y trônait entre deux pots de bruyère. Elle était occupée à faire un compte, et Patrice put la détailler tout à l'aise : elle avait la figure maigre, invraisemblablement ridée, mais, de loin, elle conservait encore les traces d'une incontestable beauté. Elle se tenait droite, avait des gestes précis, l'allure nette d'une bonne commerçante, et ses vêtements étaient d'une propreté irréprochable.

Jamais Patrice n'avait eu l'occasion de l'examiner si attentivement, et jamais il n'avait si bien vu que sa fille lui ressemblait étrangement.

Quand elle eut fini son compte, elle leva la tête, regarda autour d'elle, et elle vit que Patrice la regardait.

Elle essuya sa plume, la planta dans la coupe de gros plombs et dit en se levant :

— Vous ne jouez donc pas, monsieur Patrice ?

C'était la première fois qu'il entendait sa voix. Elle était pure, claire ; ce n'était pas du tout la voix d'une femme à la figure si marquée par l'âge.

Et la conversation s'engagea, Mme Jousseaume parlant sans faire de façons, à la fois poliment et sur un ton d'égalité. Elle s'informa de la santé de M. Perrier, dit qu'il avait bien raison, lui, Patrice, de perdre son temps chez M. Bousseron ; elle prononça en souriant :

— Vous voulez être notaire ?

— Oh !... notaire !... Je préférerais autre chose !

A ce moment, une toux éclata dans la pièce vitrée qui séparait la cuisine du café.

— Voici mon mari ! dit Mme Jousseaume.

Il apparut, gros, rouge, suant sous son bourgeron blanc, et il cria, bon diable :

— Bonsoir, la compagnie !... A moi la belle !

Il prit une queue de billard, mais avant de rejoindre les amis qui étaient au fond de la salle, sous la lumière des deux suspensions, il lança :

— Ha ! monsieur Perrier !... C'est du nouveau !

Ils échangèrent quelques propos et Jousseaume, qui tripotait impatiemment la queue du billard, finit par lancer :

— Vous ne faites pas une partie ?... Allons, la jeunesse, nom d'un chien !

Et c'était le père de Gabrielle, ce gros homme!

Là-bas, avec ses amis, il jura, parla fort, de sa voix graillonneuse ; et il se tapait sur le ventre...

Patrice en était atterré.

Tout à coup, une apparition surgit de la porte du vestibule, et les yeux de Patrice se troublèrent. Il sentit qu'un grand mystère se jouait en lui.

Se leva-t-il ?...

Gabrielle inclina la tête pour le saluer...

Le timbre de sa voix lui parvint et, deux heures plus tard, en rentrant, il se rappela qu'il en avait été stupéfait. Il ne s'était pas préparé à entendre cette musique, ou plutôt, il en avait conçu une autre, si différente qu'il avait eu de la peine à se faire à celle-ci, qui était belle, mais grave et parsemée d'inflexions. Elle l'avait pénétré.

Voyons ! voyons ! Qu'avait-il dit ?... Il avait parlé, lui aussi !

Il se rappela qu'il avait pris un air détaché pour articuler des choses assez vagues, qu'il s'était rejeté en arrière, le dos à la banquette, les jambes étendues, les mains dans les poches, imitant ceux des hommes qu'il croyait sûrs d'eux... Maintenant qu'il était enfermé dans sa chambre, seul, naturel et bouleversé, les mots qu'il avait prononcés et l'attitude qu'il avait adoptée se présentaient à lui, chargés de leur reproche.

Que n'avait-il été ce qu'il était à cette minute, éperdu d'amour, de son premier amour !

Il fallait qu'il la revît ! Il lui dirait tout, il lui avouerait sa comédie, il lui offrirait...

Mais la voix de Gabrielle résonna encore en lui. Pourrait-il donc adresser à la jeune fille qui avait cette voix les mots qu'il adresserait à une autre femme, croyait-il ? Jamais, jamais, il ne lui avait été donné d'entendre une musique si souple et si cristalline !

Il projeta un coup de force ; un instant après, il se jurait de s'adresser à Mme Jousseaume, ou à Jousseaume lui-même.

A Jousseaume ?... Et que lui dirait-il, à ce gros homme qui sentait les sauces et l'alcool, qui tempêtait comme un possédé, et qui avait une telle lippe après les formidables éclats de rire dont son corps de monstre était secoué ?... Il lui parlerait de sa fille, de cet être pour lequel il n'y avait sûrement pas de paradis assez beau ?

Il ne pensa pas un instant à devenir un habitué du *Lion d'or*, à revoir souvent Gabrielle, à se découvrir à elle insensiblement, à s'en faire aimer. Il avait le pressentiment qu'un événement prochain se préparait : un jour, demain, un homme opulent et courageux surgirait ; il n'aurait qu'à se présenter, et il emporterait Gabrielle... Et c'en serait fini, fini !...

Voilà la catastrophe !

Il fallait agir tout de suite : l'important était d'être le premier à faire une démarche. Ensuite...

Ah ! on verrait !

L'idée de se confier à son père lui vint, mais, aussitôt, il supputa la réponse : il ne s'agirait pas du mariage de Patrice Perrier avec Mlle Gabrielle Jousseaume ; il s'agirait d'allier deux maisons — la maison des Perrier et l'hôtel du *Lion d'or*, tenu par le gros Jousseaume !... Cela, ce serait une affaire impossible !

Si sa maman avait été là, il serait allé à elle, lui aurait avoué son grand tourment de pauvre petit, il se serait jeté à son cou... Mais se jeter au cou de M. Perrier !... Il y avait plus de cinq ans qu'ils ne s'embrassaient qu'aux grandes fêtes !

Le matin et le soir, ils se tendaient la main, en hommes forts qui n'ont pas besoin de s'épancher.

Les premiers temps, cela faisait plaisir à Patrice d'être tenu pour un homme par son père : aujourd'hui, à l'idée qu'il faudrait parler à son père en homme, il voyait bien qu'il n'était qu'un enfant. M. Perrier lui dirait, sur le ton qu'il s'imaginait : « Tu veux te marier ?... Pas possible ! » Il ne se fâcherait pas : il sourirait. Après cela, Patrice n'en doutait pas, il ne pourrait plus rien articuler sans avoir l'air d'être en état de rébellion. On ne se soulève pas contre une autorité après des années de soumission totale. Il y a des liens, qu'on n'a pas soupçonnés, qui vous ont enserré tout doucement et vous immobilisent ; le temps de les dénouer et la réflexion vous vient : ensuite, on ne retrouve plus la source de sa foi première et, du haut de son enthousiasme, on se découvre des torts... On voit aussitôt qu'on a tort sur toute la ligne. Enfin, se révolter contre M. Perrier !... Si, même, il s'agissait seulement de plaider sa cause, quels arguments aurait-il ? Il faudrait dire : « Je l'aime ! »

« Je l'aime ! » Il se serait plutôt déshabillé sur

la place du Minage. Et que répliquerait-il si son père lui rétorquait :

— Tu te représentes dans la peau du gendre de Jousseaume, toi ?...

Patrice ne savait plus à quoi se résoudre. Il retenait de toutes ses forces la figure radieuse de Celle qui hantait ses jours et ses nuits, mais entre elle et lui surgissaient des impossibilités, des embûches, des poids trop lourds pour ses bras — le monde redoutable dont l'esprit des hommes faibles s'encombre dès qu'ils raisonnent.

Quand il retrouva le père Lefranc, son premier mouvement fut de se confier à lui, mais, considérant ce vieux bonhomme si calme, à la vie si claire, et qui n'avait probablement jamais dû se trouver au milieu d'une pareille tempête, il se sentit refroidi. Il essaya de prendre un air « comme ça » et il s'exclama :

— Eh bien, vous avez gagné, l'autre soir, à la blouse ?

— Je n'ai pas gagné, déclara le vieux, parce qu'on ne peut pas gagner Jousseaume ; il connaît son billard. Mais j'ai gagné Mançon. Vous devriez jouer, vous, monsieur Patrice. C'est quand on est jeune qu'on apprend le mieux. Si vous le voulez, je vous donnerai des leçons, en dehors du samedi où l'on fait la partie générale.

C'est ainsi que, trois jours d'affilée, Patrice sortit. Mais, le dernier soir, tandis qu'il combinait un coup, Jousseaume, emporté par son habituelle brusquerie, lança, après un gros juron, en lui donnant une bourrade dans le dos :

— Pas par ici, tourte !... Vous avez donc les yeux bouchés de raisiné ?

Patrice se redressa, suffoqué.

A la caisse, Mme Jousseaume et Gabrielle étaient demeurées assises, les yeux sur leur broderie, et n'avaient pas fait un mouvement.

Patrice recommença le coup, le rata, se laissa diriger par le père Lefranc, mais il avait l'esprit ailleurs.

— Ça ne va pas aujourd'hui, concéda le vieux.

Lorsque Patrice se retira, Mme Jousseaume l'accompagna jusqu'à la porte, et il vit bien qu'elle avait pour lui, elle aussi, plus d'amabilités que de coutume. Il fallait faire passer la tourte et le raisiné.

Au moment où il franchissait le pas de la porte, elle s'écria :

— Il pleut !... Attendez, monsieur Patrice.

Gabrielle les rejoignit et, à son tour, elle insista pour qu'il ne se mît pas en route par un temps pareil.

— ...Ou bien, vous prendrez un parapluie !

Quels mots, grands dieux !... Patrice les para d'une telle beauté qu'il ne se les rappelait déjà plus au tournant du chemin !

Il avançait, enivré de tenir un objet qu'Elle avait touché, tandis que, le cœur déchiré, il pensait encore à l'algarade de Jousseaume.

Devenir le gendre d'un pareil homme ! Pourrait-il, près de lui qui le rabrouerait, avoir jamais du prestige aux yeux de Gabrielle ? Il y avait aussi, travaillant dans sa conscience, un reproche inconnu : de fréquenter un tel monde, cela lui faisait l'effet de s'enfoncer dans une vase dont il ne se retirerait plus...

En approchant de sa maison, il fut stupéfait d'y voir de la lumière. Cela, aussi, lui étreignit le cœur !

Son père, qui n'était pas couché, lui ouvrit dès qu'il l'entendit mettre la clef dans la serrure. Il ne lui demanda pas où il avait passé son temps et il ne lui fit aucun reproche ; il lui dit seulement, en montant l'escalier :

— Mon ami, tu as tort de prendre de pareilles habitudes.

Patrice ne protesta pas : cela concordait si bien avec ce qu'il pensait !

Un peu après, les sentiments qui se heurtaient en lui se définirent : ce qui l'avait éclaboussé, du même coup avait sali Gabrielle. Il ne la plaignait plus, et même il lui en voulait, parce qu'il avait besoin de s'en prendre à quelqu'un.

Le lendemain, plutôt que de passer à l'hôtel, un méchant orgueil le conseilla. Il appela Honorine et lui dit :

— Tu porteras ce parapluie au *Lion d'or*, et tu remercieras... Mme Jousseaume pour moi.

Puis il s'enfuit à l'étude par un autre chemin, satisfait de montrer à ces gens qu'il ne courait pas après eux.

Le samedi suivant, il s'abstint de se présenter au *Lion d'or* — et il n'en souffrit pas.

Lorsque, le lundi matin, le père Lefranc l'informa qu'il avait une communication à lui faire, il demeura si calme et si maître de lui qu'il en ressentit une certaine fierté.

— Mme Jousseaume m'a dit, commença le vieux clerc, qu'elle était ennuyée... Jousseaume, vous savez, il est rude, il est bourru, mais c'est la crème des hommes.

Il essuyait ses besicles ; tout à coup, regardant Patrice bien en face :

— Ça n'est pas ce qui vous empêchera de revenir ?... *Ces dames* en seraient contrariées.

Patrice fit : « Peuh ! », légèrement, avec désinvolture. Cela pouvait signifier qu'il se moquait de Jousseaume ; et il se mit à siffloter.

Tout lui paraissait beau et chérissable.

Il demanda :

— C'est Mme Jousseaume, ou sa fille, qui vous a parlé de moi ?

— C'est Mme Jousseaume, répondit le vieux en soupirant. Elle est si malheureuse !

Il se tut. Néanmoins, en disposant des papiers sur sa table, il poursuivit :

— Jousseaume est un diable de coffre, allez !

Dans sa bouche, « un coffre » c'était un homme capable de manger une fortune, en l'arrosant, bien entendu.

— Avec ça, il n'est pas bête ; il gagne ce qu'il veut. Seulement, la parole l'emporte. S'il n'avait pas une femme d'ordre pour veiller au grain, il y a longtemps qu'il aurait fait basculer

la boutique. Elle en supporte, monsieur Patrice !
Il y a des jours où il la traite... Ah ! Dieu de
Dieu !... J'en sais, sur elle, allez !...

Il leva les yeux.

— Elle ne m'a jamais rien dit, mais j'en sais,
tout de même !... Il lui arracherait un œil qu'elle
trouverait le moyen de persuader les gens que
c'est elle qui s'est fait ça !... Des femmes de
cette trempe, voyez-vous, c'est des saintes.
Celle-ci, elle a sa croix !

Il s'exprimait posément, avec douceur, et
comme s'il avait fait un apprentissage du malheur.

— Sans compter ! ajouta-t-il. Voilà que sa
fille devient grande...

Le cœur de Patrice s'arrêta de battre.

— ...Jousseaume lui en fera du tort ! Encore
une, tenez !... Si elle avait été faite pour mal
tourner, il y a longtemps qu'elle aurait eu l'occasion de sauter le caniveau, belle comme elle
est !... Seulement, c'est tout le portrait de sa
mère.

Il ne poursuivit pas plus loin, parce que, dans
le couloir, la porte de Mᵉ Bousseron venait de
grincer.

Le notaire ne fit que traverser la salle.

Cependant, le père Lefranc ne reprit pas son récit.

La pendule sonna dix heures. Il y avait déjà longtemps qu'on ne percevait plus que le grattement des plumes sur le papier, quand, se levant brusquement pour remettre un dossier dans un carton, Patrice grommela inconsidérément :

— Qu'ils la marient !

Le père Lefranc hocha la tête :

— Ils ne seront pas en peine ! N'empêche que le jour où sa fille se mariera, je ne sais pas ce qu'il adviendra de la mère, qui restera dans cet enfer !... Et puis, ça n'est pas si commode ! On ne peut pas la donner à n'importe qui, cette fille-là ! La mère est trop mal tombée ; elle s'arrangera pour que sa fille n'en fasse pas autant... Malheureusement, Jousseaume est un toqué. Il ne vient pas de voyageur de commerce sans qu'il parle de sa Gabrielle ; il dit : « Elle !... C'est un morceau pour les Tuileries ! » Il l'aime bien pourtant, et ça n'est pas un méchant homme !

Il continuait de parler, et ses phrases tombaient, courtes, lentes, uniformément, tandis qu'il rangeait des dossiers.

Patrice ne bougeait pas. Il était demeuré debout, adossé aux casiers.

« C'est un morceau pour les Tuileries ! » S'il avait été là quand Jousseaume avait prononcé une telle infamie, il se serait jeté sur lui. « Un morceau pour les Tuileries !... »

Il parvint à articuler :

— Elle... entend ça ?

— Ah ! grands dieux ! Jousseaume ne se gêne guère !

— Et qu'est-ce qu'elle pense ?

— Elle, énonça gravement le père Lefranc, elle ne sourcille pas. Il y a beau temps qu'elle a pris modèle sur sa mère.

Patrice avait envie de se laisser tomber aux genoux du vieux, de lui dire : « Père Lefranc, je l'aime à en mourir ! Apprenez-le-lui !... Je suis trop jeune pour me marier, mais suppliez-la d'attendre, de se garder pour moi. Je lui donnerai tout ce que j'ai, tout ce qu'elle voudra ! Je veux en faire ma femme ; je la veux !... Je la veux, père Lefranc ! Aidez-moi !... » Ses lèvres tremblaient, ses yeux étaient secs.

Le père Lefranc soupira en regardant sa montre :

— Allons !... Voilà l'heure où la soupe nous donne des ordres !

Patrice, qui avait fait un pas de son côté, s'arrêta ; aussitôt, il revit la silhouette de Jousseaume et il s'imagina, lui, Patrice, devant M. Perrier...

L'occasion était manquée !

Toute la journée, il évoqua le cher visage, si jeune, si radieux, si douloureux, idéal, où s'inscrivait pourtant une sorte d'anxiété.

Il n'avait encore jamais atteint cette ferveur désolée : il ne faisait que commencer à aimer.

*
* *

A dater de ce jour, lui qui, depuis quelque temps, s'était attaché à se montrer autoritaire et pourfendeur, adopta d'autres allures. Il abandonna la culotte de velours pour le pantalon qui lui couvrait les bottes ; il ne leva plus si haut la tête, ne se dandina plus en marchant, adoucit sa voix et s'imposa des privations. Enfin, il se mit à travailler comme jamais il n'avait fait.

Me Bousseron, qui voyait de temps à autre M. Perrier, lui confia :

— Il y mord, le petit ! Hé, hé !... On pourrait peut-être songer à lui...

A la vérité, si la besogne de l'étude l'avait un peu moins rebuté, il s'y serait plongé avec moins d'obstination.

M. Perrier, qui ne pouvait se faire à un tel changement, avait commencé par surveiller son fils à la dérobée ; puis, convaincu qu'il ne lui cachait rien, il lui dit un jour :

— Mon ami, si tu continues et que tu veuilles, plus tard, t'établir, tu me trouveras là. Je n'avais pas pensé faire de toi un notaire. Tu veux être notaire ?... J'en suis enchanté.

Il ajouta :

— Tourné comme tu l'es, et avec ce que je te donnerai, c'est 200,000 livres de dot que tu peux rêver...

Patrice s'enfonça plus profondément dans son martyre.

*
* *

Un dimanche qu'il se promenait dans la campagne, Patrice aperçut, venant vers lui, les dames Jousseaume.

Il ralentit, se demanda s'il les aborderait, ce

qu'il leur dirait, et, tout à fait éperdu, il les salua avant d'avoir pris une décision.

Mme Jousseaume s'arrêta, demanda des nouvelles de M. Perrier, lui reprocha aimablement de ne plus venir au *Lion d'or*. Elle ajouta :

— Cela ne doit pas trop vous plaire, n'est-ce pas, monsieur Patrice ?...

Il protesta bien, par politesse, mais Mme Jousseaume, baissant la tête, prononça doucement :

— Vous avez raison, allez !

Elle ajouta, s'abandonnant à son accablement :

— Moi, si j'avais un fils, cela me...

Mais elle s'interrompit, parla du beau temps, et avoua :

— Voilà plus de quinze ans que nous sommes ici, et jamais je n'étais venue si loin !...

Patrice expliqua que, de ce côté, on allait aux *Deux-Moulins*, mais qu'il y avait un raccourci qui ramenait en ville ; et, content, il proposa de les accompagner.

— Vous rentriez, monsieur Patrice ? dit Gabrielle.

— Non, mademoiselle ! D'ailleurs, je rentrerai aussi en passant par là.

Et ils marchèrent côte à côte, et Patrice fit un beau songe.

Il se figurait qu'ils étaient fiancés, qu'ils allaient ainsi, en compagnie de Mme Jousseaume, faisant des projets, organisant leur vie future, heureux à l'idée que la saison froide qui se préparait les réunirait, le soir, autour d'un feu de bois, en famille. Il s'imaginait près d'elle, toujours, toujours — comme en ce moment !

On lui faisait nommer les maisons qui étaient juchées sur le coteau ; il les connaissait toutes, et presque à chaque nom de propriétaire Mme Jousseaume ou Gabrielle ajoutait : « Celui qui se fournit chez Prudent ; celui qui remise son cabriolet à l'hôtel, le mercredi ; celui qui nous fournit d'œufs... »

Les habitants de la campagne, pour elles, n'étaient que « celui qui » accomplissait tel acte en ville.

En entendant nommer l'un d'eux, Gabrielle s'étonna de ne pas se rappeler sa physionomie.

— Un petit, sec, expliqua Patrice, qui a toujours un bout de cigare éteint à la bouche... et qui porte une blouse noire.

Gabrielle et Mme Jousseaume s'écrièrent en même temps :

— Celui qui dîne chez nous les jours de marché, au bout de la table !

Elles n'ajoutèrent pas : « et qui est toujours ivre quand il sort » ; tous les trois le savaient. Une sorte de honte pesa sur eux.

Sur le point de rentrer en ville, Patrice fit la réflexion qu'ils devraient passer devant chez lui et il en éprouva une telle angoisse qu'il se mit à chercher un moyen de tourner la maison.

Pour cela, il aurait fallu prendre un sentier de traverse ; or, déjà, la route se présentait à eux et Mme Jousseaume disait en riant à sa fille :

— Il faut se presser, ton père va nous croire perdues !

Dès le tournant, Patrice découvrit Honorine qui, sur le seuil de la porte, parlait aux dames Souriceau. Il baissa les yeux, parla plus vite, marcha plus lentement...

Il fallut, pourtant, atteindre la maison, et Mme Jousseaume articula :

— Vous voici chez vous, monsieur Patrice !

Elle le remerciait de les avoir guidées, quand

Honorine s'approcha pour demander à Patrice
s'il avait rencontré M. Perrier qui était sorti.

Alors, dans un coup d'audace, il invita
Mme Jousseaume à entrer chez lui.

Honorine insista...

Elles entrèrent !

Il eut comme un éblouissement de bonheur.
Aussitôt, pareil à un gamin à qui tombe une
grande joie, il voulut tout leur montrer.

On s'était à peine assis qu'il proposait soudain
d'aller voir le jardin.

Cependant, Honorine, qui avait déjà parlé de
sa cuisine à Mme Jousseaume, tenait à la lui
montrer.

— Allons dans le jardin ! répéta Gabrielle.

Mais le jardin était défeuillé. Il n'y avait plus
que la charmille qui demeurât belle : elle l'é-
tait somptueusement. La première gelée l'avait
dorée, et c'était une merveilleuse muraille qui
encerclait les carrés où, seuls, les cordons de
fraisiers, des touffes d'oseille et de salade faisaient, sur la terre durcie des taches qui rappe-
laient de loin la vie de l'été.

Il y régnait le lourd apaisement du cloître.

Gabrielle avait fait halte au croisement des

allées, surprise par ce sommeil du jardin qui s'effondre dans la mort, et Patrice la regardait ; il n'avait jamais eu l'occasion de la contempler ainsi et il se dit des choses folles : qu'ils avaient le même âge, qu'ils étaient là même où ils vivraient un jour, où ils auraient des années de bonheur... Il l'avait à lui, ce bonheur : il n'avait qu'à parler !

Il dit, la voix tremblante :

— Voulez-vous venir sous la charmille ?

— C'est une charmille ?...

A peine y eut-elle pénétré qu'elle articula doucement :

— Que c'est beau !

Patrice répétait au fond de lui : « C'est à vous !... Tout est à vous ! Tout ce que j'aurai un jour sera votre bien ! »

Ils marchaient, l'un près de l'autre, elle, les regards dans le sillon de ciel qui courait au-dessus d'eux. Lui?... Ah! il ne contemplait que son rêve!

Soudain, un rouge-gorge chanta et ils s'arrêtèrent.

Elle soupira.

Le chant recommença dans un autre ton, plus éploré.

— C'est le dernier chant de l'année, chuchota
Patrice.

Après réflexion, il reprit :

— Ce n'est pas tout à fait le dernier ; il y a
encore celui du roitelet, par les belles journées
d'hiver...

Cela lui était venu aux lèvres sans qu'il l'eût
préparé.

— Vous venez souvent dans votre charmille ?
demanda Gabrielle.

— Souvent !...

Sa voix trembla un peu :

— C'était là où maman se plaisait. Elle y venait
travailler toutes les après-midi, à la belle saison.

Gabrielle le regarda et elle vit que son doux
visage s'était comme illuminé. Elle aurait voulu
lui avouer : « Je vous comprends ! » Elle prononça, un peu plus gravement :

— Si nous avions une charmille...

Elle n'acheva pas. On les appelait.

Gabrielle passa sous un arceau ménagé entre
deux arbres. Pourtant, au moment de quitter la
charmille, elle tourna la tête, et Patrice remarqua le long coup d'œil qu'elle laissa comme un
gage au couloir des arbres.

Le soir tombait. Des nuages sanglants dominaient la maison. C'était une fin de jour tragique, une de celles qui, lorsque l'automne est près de se terminer, rendent meilleures les lumières dans les maisons et donnent du goût pour fermer les portes. Les vapeurs montent du sol humide, lourdes du parfum des herbes molles et des racines ; les brumes sont couchées sur les vallées et sentent le brûlot du charbonnier ; les corneilles, en bandes, rentrent au clocher. Si l'on perçoit, de loin, les coups de fouet d'un charretier sur une route, on songe à la longueur du chemin qu'il lui reste à parcourir pour atteindre la ville, et l'on frissonne d'aise en verrouillant son huis.

Ah ! qu'il y en a des impressions fugaces qui parlent des saisons, et que l'on ne peut pas noter !

*

* *

Le dîner des deux Perrier était achevé que Patrice n'avait pas encore informé son père de la visite qu'avait eue la maison, et chaque minute qui tombait en rendait l'aveu plus difficile.

L'occasion ne se présentait pas.

Ils étaient sur le point de se lever de table, quand Honorine annonça que les dames Souriceau étaient venues demander M. Perrier.

Patrice ouvrit la bouche pour dire ce qui l'étouffait, mais son père demanda :

— Que voulaient-elles ?

— Je ne sais pas, repartit Honorine. Elles m'ont parlé du petit pâtis qui est au bout de la prairie de Duvignaud. Je crois qu'elles voudraient le louer pour la chèvre... Après tout, je ne sais pas !

M. Perrier, qui avait achevé de plier sa serviette, quitta la table, sans un mot, s'approcha de la cheminée, disposa son fauteuil et se chauffa les pieds.

— Je voulais te dire, commença Patrice, que les dames Jousseaume sont venues aussi...

Honorine desservait.

M. Perrier répéta :

— Que voulaient-elles ?

— Rien ! Elles passaient... et elles sont entrées.

M. Perrier demeura silencieux.

Honorine achevait de desservir.

Alors, Patrice réfléchit qu'il avait mal choisi son moment. Il perdit contenance.

Quand Honorine eut disparu, M. Perrier prononça :

— Elles sont entrées... comme ça ? Pour rien ?

— Oui, dit Patrice.

Il eut le courage d'ajouter qu'il les avait rencontrées dans le chemin des Deux-Moulins...

— Elles étaient un peu égarées...

— Ho !... On ne perd pas le clocher de vue ! Et alors ?...

— Je... je revenais et nous avons fait route ensemble. Et puis, en passant, je leur ai offert de se reposer...

M. Perrier ne souffla plus mot. Il repoussa au fond de l'âtre la bûche qui avait basculé, l'enterra sous la cendre, délaça ses souliers, chaussa ses pantoufles et, ayant consulté l'horloge, il articula sèchement :

— Bien !... Montons nous coucher !

Il serra la main de son fils et, comme Honorine rapportait la vaisselle, il lui dit :

— Tu informeras les dames Souriceau que, si elles veulent me parler, je serai *chez moi* demain soir à cinq heures.

D'ordinaire, il ne s'exprimait pas ainsi : il prononçait « à la maison », ou « ici ».

*
* *

A quelque temps de là, Patrice apprit, à
l'étude, que Jousseaume était venu trouver
Me Bousseron pour un emprunt d'argent, et il
ne démêla pas s'il en éprouvait de la douleur ou
de la satisfaction.

— Jousseaume, expliquait le père Lefranc,
avait pour client un certain agent d'affaires qui
couchait à l'hôtel cinq ou six fois par an ; il se
disait employé d'une grande banque de Paris.
Ce n'était qu'un *harpailleur*. Jousseaume s'est
laissé engluer. Le voilà fricassé !

Il baissa la voix pour ajouter :

— Seulement, il ne faut pas qu'on le sache.
Sa femme m'a supplié de ne pas ébruiter l'affaire. Elle en a une vie !

Cela ne se sut pas : on n'en parla qu'à l'étude,
en l'absence du saute-ruisseau.

— Quel bouillon ! gémissait Lefranc. Il faut
que cet homme soit fou, ma parole ! Tout y
passera !

Un samedi soir que Patrice se préparait à

quitter son bureau, Mᵉ Bousseron lui demanda si son père serait chez lui le lendemain, avant le déjeuner.

— Si je ne dois pas le déranger, dit-il, je pousserai jusque là-haut.

— Qu'est-ce qu'il peut vouloir à M. Perrier ? demanda le vieux Lefranc en quittant l'étude. J'ai dans l'idée...

— Qu'avez-vous dans l'idée ?

— Ho !... rien, rien ! Si nous faisions une partie de poches après le dîner ? Ce soir, on ne sera pas nombreux. Presque tous vont, demain, à la foire de Lanchel, et ils se mettront en route avant le jour.

Patrice accepta. Il revit Gabrielle, et il essaya de démêler sur sa figure les traces du drame qui s'était abattu sur le *Lion d'or ;* mais ni elle, ni sa mère ne laissaient paraître leurs tourments. Seul, Jousseaume avait l'air touché. Ses joues étaient moins rouges, et il ne criait pas tant.

Patrice remettait son pardessus, lorsque Mᵐᵉ Jousseaume lui dit :

— Il ne doit pas faire chaud, monsieur Patrice, sur votre coteau.

— Bast ! répliqua-t-il. On allume de grands feux et la maison n'est pas humide.

Il avait lancé cela gaillardement, en garçon paisible que les soucis n'assaillent pas.

On parla ensuite de la nuit qui se préparait claire, et de la sauvagine qu'on tuait sur la rivière, tout près de chez lui. Il se promit tout haut d'aller faire un tour de chasse le lendemain à l'aube.

— Vous vous levez donc si tôt ?

— Cela dépend, avoua-t-il en riant. Si c'est pour chasser, dame, je ne suis pas long à sauter du lit !

Gabrielle, jusqu'ici, ne s'était pas mêlée à la conversation. Elle était près de lui, toute droite, avec un ouvrage de broderie à la main.

Elle articula :

— La charmille n'a plus de feuilles, maintenant !... Elle était si jolie !

— N'est-ce pas ?

— Oui, fit Mme Jousseaume, comme poursuivant des réflexions ; le principal, dans la vie, c'est d'être armé contre les tracas qui vous arrivent.

Il osa lancer sur le ton rude du bon vivant égoïste qui défend son bien-être :

— Tout le monde en a !

Le regard de Gabrielle devint dur, et il crut
u'elle le dévisageait avec hostilité.

Comme les clients sortaient en s'esclaffant, il
rit rapidement congé et il s'en fut chez lui,
pousant plus clairement que jamais la tris-
esse de celle qui avait une si grande place dans
on cœur, qui avait son cœur tout entier.

Le lendemain, il ne toucha pas au fusil ; il se
endit à la messe et revint sans lambiner, pour
e trouver sur le seuil au moment où Me Bous-
eron se présenterait.

Or, lorsqu'il entra dans la salle à manger, le
otaire était déjà là. Patrice le salua, monta
ans sa chambre et tendit l'oreille.

A travers le parquet, il percevait certains
iots qu'on prononçait en bas :

— ...Non, et non !... calcul... J'y vois plus
lair que vous !

C'était la voix de son père.

Sans s'expliquer pourquoi, il en fut glacé.

Durant le déjeuner, il ne fut pas question de
 visite de Me Bousseron et, après le déjeuner,
on père disparut.

Alors, certain de n'être pas dérangé, il se re-

3

tira sous la charmille, s'y promena et s'assit su
une pierre : Gabrielle avait passé là. Maintenan
qu'il la savait malheureuse, il n'avait plus ta
d'angoisse : il pressentait qu'elle l'écouterait.

Le mois de décembre s'achevait. Patrice s'
tait fait le serment que, le jour de ses vingt an
il se résoudrait à la première de ses deux d
marches. Ce serait le lendemain de la Noë
Tout ce qu'il demandait, en somme, c'était qu'c
lui permît de dire à Gabrielle :

— Attendez-moi !

Le matin du 24 décembre, Patrice, en pén
trant dans l'étude, s'aperçut que le père Lefra
avait une expression extraordinaire. Au bonjou
qu'il lui adressa, le vieux répondit d'un signe
tête, achevant de nouer ses manches de lustrin
Ce ne fut qu'après en avoir fini avec les cordor
qu'il prononça :

— Le patron est sorti, il a mis du travail pou
vous sur le coin de votre bureau.

Patrice s'assit et, par-dessus les piles de p
piers qui étaient devant lui, il examina le bo
homme, ainsi que le petit clerc qui n'en mena
pas large. Puis il essaya de commencer sa b

ogne de classement, mais, à chaque instant, le
ère Lefranc se levait, s'approchait des casiers,
paraissait vouloir prendre des pièces et, se ravi-
ant, retournait à son tabouret.

Tout à coup, il frappa la table du plat de la
main et commanda au petit clerc d'aller porter
ne lettre à la diligence. Le gamin n'était pas
ans la rue que le vieux s'appuyait sur le bureau
le Patrice et disait :

— Une infamie, monsieur Patrice !... C'est
ne infamie que Jousseaume a commise !... Je
'avais pas tant d'estime que ça pour lui ; tout
le même... non ! Jamais je ne l'aurais cru capable de celle-là !... Il a vendu sa fille, vous en-
endez ?...

Et il conta ce qu'il avait appris : depuis cinq
ours, Jousseaume logeait un voyageur de commerce ; c'était un homme du Nord, riche, disait-
on, qui était mandataire de grosses maisons de
l et de cotonnade, et qui fréquentait le pays à
ntervalles réguliers ; la veille, Jousseaume avait
nformé M. Mançon que Gabrielle était fiancée à
et étranger !

Et Mançon avait colporté la nouvelle. C'était
le lui que le père Lefranc la tenait.

— Il m'a dit que Jousseaume était dans l
joie !... Ça ne m'étonne pas ! Il paraît que so
gendre lui fera une pension et qu'il remboursere
ce que ce toqué a perdu dans ses opérations du
diable !... Je vous dis qu'il vend sa fille !...

Deux larmes coulaient sur ses joues.

— Je devrais être content, tenez ! parce qu
je lui avais prêté de l'argent, dernièrement... l
lendemain du jour où le patron est allé rendr
visite à **votre** papa. C'était pour un emprunt qu
Jousseaume voulait faire. M. Perrier avait re
fusé... **Moi, je** ne pouvais pas grand'chose. En
fin, **j'ai** avancé à Jousseaume ce que j'ai pu..
Hier, il m'a annoncé qu'il me rembourserait la
semaine prochaine. J'aimerais mieux avoir tou
perdu.

Patrice ne l'entendait plus.

On lui aurait annoncé que Gabrielle étai
morte, qu'il n'aurait pas ressenti une plus grande
douleur... Il n'éprouvait pas de jalousie : n'était
elle pas déjà disparue pour lui, celle à laquell
il se déclarait fiancé ? Il ne connaissait pa
l'homme qui la lui ravissait ; il savait qu'i
s'agissait là d'un marché traité par le père
c'était, en effet, comme si la mort avait été

appelée ! Il n'essaya pas de se persuader qu'il était encore temps d'agir, qu'il pouvait se jeter aux pieds de M. Perrier, l'adjurer de consentir à une démarche... Et si M. Perrier demeurait inaccessible, il pouvait, lui, Patrice, parler à Mme Jousseaume... Mais non ! Tout était consommé !

Il se prit la figure, se jeta sur la table, et sanglota comme un enfant.

Il l'aimait !... Il l'aimait !... Il l'aimait !...

Son secret, trop gonflé, venait d'éclater.

Le petit clerc rentra juste à ce moment, mais le vieux, se précipitant sur lui avant qu'il se soit reconnu, le repoussa dans le couloir.

— Toi, cria-t-il, va me chercher du tabac à priser !

Il s'approcha de Patrice, le prit par les épaules et, le suppliant de se calmer, énonça des choses insensées : la situation n'était pas si désespérée, on verrait les Jousseaume, on parlerait à M. Perrier, on parlerait à Gabrielle, et tout serait promptement arrangé...

Patrice secouait la tête : Non ! non !... C'était fini... La belle fleur était flétrie... C'était fini, bien fini, puisque Gabrielle avait accepté !...

— Hé ! non, ça n'est pas fini ! Elle a accepté !...
Savez-vous comment ?... Allons ! Essuyez-vous
les yeux et...

Il lui tendait son pardessus.

— Faites-moi le plaisir de ne pas rester là,
monsieur Patrice. Allez vous promener... Moi, je
me charge de Mme Jousseaume... Je vous jure
qu'on arrangera ça !

Il ouvrit la porte :

— Allez, monsieur Patrice, allez !... Si M.
Bousseron vous demande, je dirai... Enfin, ça
me regarde. Il ne faut pas qu'on vous voie dans
cet état !... Allez ! Je sais ce que c'est !... Ah !
insensé !

Il savait « ce que c'était » en effet et, après
tant d'années, ce qu'il avait cru évaporé était
encore présent au fond de lui, tout frais. Elle
était belle, aussi, celle à qui il avait voué sa vie.
Elle s'était mariée, il ne l'avait plus revue ; il
savait qu'elle avait été heureuse — et il avait
fait comme ceux des hommes qui, trop faibles,
ont caressé un trop beau rêve : il s'était créé un
monde de songes et il avait poursuivi sa vie à
côté d'eux. Aujourd'hui, il pensait à ce qu'il
serait advenu de lui s'il avait, quand il l'aurait

allu, dit à ceux qui étaient les maîtres de son bonheur : « Voulez-vous de moi ? » Au lieu de cela, tout seul dans sa chambre, il avait lancé : « Je l'aime !... Je l'aime ! » comme Patrice — trop tard !

Et voilà ! Aujourd'hui, un autre courait la même aventure !

Pauvre cœur !

Ce fut à Mme Jousseaume qu'il s'adressa d'abord.

La malheureuse femme le regarda comme s'il venait lui proposer de les sauver d'une catastrophe.

Le père Lefranc lui expliquait :

— Jousseaume, nous le réduirons. Ce qu'il lui faut, c'est de l'argent pour boucher le trou qu'a fait chez vous le sacripant d'homme d'affaires ? Il en aura ! J'en fais mon affaire ! Ensuite on racontera que ce mariage, ce n'était que dans l'idée de Jousseaume. Et puis, nous nous entendrons avec M. Perrier...

Il y avait tout à faire, en somme !

Mme Jousseaume éclata en sanglots.

Quand le père Lefranc se trouva devant Jous-

seaume, ce fut une autre histoire ! Ce n'était plu
Jousseaume le gueulard et, tout de même, bo
garçon ; c'était, campé en maître, un homme qu
tenait ferme sur ses positions et qui commandai
haut.

Il jeta durement au vieux clerc :

— Toi, ne te mêle pas de faire mes sauces ! J
ne vais pas voir dans ta cuisine... Je te dois cin
cents pistoles et les intérêts ?... Tu passera
dans huit jours. On te réglera ton compte, mo
garçon !...

Et puis, des bêtises : celui qu'il déclarait déj
son gendre valait mieux que cette espèce de fre
luquet qu'on lui proposait... « Mossieu Perrier s
croirait déshonoré en faisant de pareilles accor
dailles, peut-être ?... Mossieu Perrier !... Mossie
Perrier !... »

Il la laissait échapper, sa haine contre ce bour
geois dont il n'avait jamais entendu le son d'u
écu sur une table du *Lion d'or*, et qui vivait s
fier dans sa bauge !

— ...Pourquoi donc est-il si fier ? Il viendrai
à moi sur les genoux pour me demander la mai
de ma fille que je l'enverrais promener, lui e
son empoté de drôle !

Le vieux Lefranc eut pourtant un entretien
vec Gabrielle. Elle ne se lamenta pas, ne fit
ntendre aucune protestation à propos du mar-
hé qui se faisait sur son compte et demeura
e glace au nom de Patrice ; mais, quand le
ieux se tut, elle ferma les yeux et elle articula
ettement :

— Ce qui est fait est bien fait, père Lefranc !
)ans un mois je me marierai, et dans cinq
emaines M. Patrice sera consolé.

Il eut beau la supplier d'attendre, lui démon-
rer qu'elle se préparait une vie de malheurs,
lle ne varia pas. Au beau milieu d'une phrase
u vieux, elle lui tourna le dos et monta s'en-
ermer dans sa chambre.

Sa mère ne la revit que le soir : elle avait eu
 temps de se composer une attitude. Son divin
isage était apaisé, ses yeux étaient calmes et
airs comme un lac de montagne. Pourtant...
h ! elle aussi éprouvait un peu de la haine que
on père nourrissait contre M. Perrier, contre
us ceux qui, ayant la vie assurée, coulent des
urs sans angoisse.

La révolte des castes qui s'affrontent l'avait
urdement gagnée.

Quand Patrice connut la réponse de Jou
seaume, il ne s'éplora pas : il se contracta, s
yeux devinrent atones, et il se tassa sous le cou

A partir de cet instant, il ne s'intéressa plus
rien.

Il continuait de se rendre ponctuellement che
Me Bousseron et d'agir selon son habitude ; ma
il finit par avoir une telle mine que son père :
mit à le questionner.

M. Perrier n'en tira rien. S'imaginant que sc
fils s'ennuyait à l'étude, il lui proposa de pre
dre des vacances.

Patrice les refusa.

Ce ne fut que le jour où l'on sonna le maria
de la fille de Jousseaume que M. Perrier appr
tout.

Ce matin-là, Patrice qui était demeuré da
sa chambre fut surpris par son père, à genou
devant son lit, les mains aux oreilles et la figu
enfouie dans les couvertures.

Il fallut bien qu'il avouât son mal — et
l'avoua sans respirer. Peu lui importait que sc
père se fâchât, maintenant ! Il n'y avait plu
pour lui, qu'à souffrir jusqu'à ce que son pauv
cœur, de qui le trésor avait été enlevé, s'arrêt

le cogner. Et si faible, et si petit dans sa douleur, il avait les mots d'un homme : il les prononçait sur un ton si extraordinaire qu'Honorine,
croyant qu'un étranger était au premier étage,
monta quatre à quatre. Lorsqu'elle poussa la
porte, M. Perrier relevait son fils et lui répétait :

— Mon pauvre petit !... Mon enfant !...

Il aperçut Honorine, la rassura ; et de la
journée et de la nuit, il ne quitta Patrice. Il ne
lui dit pas : « Pourquoi as-tu gardé le silence ? »
Il lui parla de sa mère, et d'eux-mêmes qui demeuraient seuls, sur la terre ; il lui parla, aussi,
de Jousseaume, qui était un homme taré — et
il le raisonna :

— Mon petit, il faut se guérir... Écoute-moi,
écoute-moi bien !... Tu as un grand malheur
dans ta vie ! Il est lourd, n'est-ce pas ? Eh bien,
il pèse sur moi autant que sur toi.

C'était un bon papa, en somme. Il y en a
comme cela beaucoup que les désastres édu-
quent quand l'irrémédiable est consommé.

Longtemps après, à des mois de là, Patrice,
en songeant à ces heures, les tenait pour les
plus douloureuses et les plus tendres qu'il eût
connues.

Il ne se confiait toujours pas plus à ce père qu'il avait découvert ; néanmoins, il savait qu'il était là, attentif, prêt à lui ouvrir les bras. Leur effection ne parvenait pas à leur desserrer les lèvres, mais tous les deux la sentaient vivante en eux : cela leur suffisait.

*
* *

Patrice avait abandonné l'étude de Mᵉ Bousseron. Quelquefois, le vieux Lefranc venait passer une heure avec lui ; cependant, il y avait certains noms qu'on ne prononçait pas : Jousseaume, *le Lion d'or*, Gabrielle...

Gabrielle ! On savait qu'elle habitait très loin, du côté de Lyon. C'était tout !

Quelle grande chose elle avait emportée avec elle !

Enfin ! La vie s'arrange toujours mal !

Honorine dit un jour à M. Perrier qu'il faudrait une femme dans la maison, et, comme son maître ne protestait pas, elle risqua qu'elle en connaissait une, bonne, douce ; peut-être pas riche, riche !...

D'un geste de main, M. Perrier la fit taire.

Il avait deviné de qui il s'agissait ; toutefois, il ne jugea pas que le temps de réparer les dégâts fût venu. Et puis, Mlle Souriceau n'était pas celle qui pouvait les réparer. Elle était bonne, en effet, et douce. Peut-être, aussi, pensait-elle à Patrice ; mais telle quelle, M. Perrier la jugeait trop loin de « l'autre », trop mal faite pour la faire oublier.

Il regardait son fils à la dérobée : Patrice avait un visage indifférent ; quand il lui parlait, c'était à la façon d'un convalescent. Quelquefois, sous la charmille du jardin, ou dans la campagne, il s'arrêtait subitement devant un tronc d'arbre, devant une taupinière, au milieu d'un chemin. Une pensée l'immobilisait ; une autre le poussait en avant ou lui commandait de revenir sur ses pas. Il se laissait aller à la dérive dans son rêve qui, déjà un peu moins sombre, était composé de morceaux sans lien : une belle image réconfortante, deux, trois autres laides ; un délicieux souvenir qui le déchirait s'il le retenait trop longtemps. C'étaient comme de petites oasis dans l'immense désert qu'il parcourait inlassablement, sans but, pour se fati-

guer. Son esprit, lassé de cavalcader dans l[e]
souvenir et dans les irréalités, retournait in[-]
sensiblement aux choses véridiques, mais il n[e]
s'appesantissait que sur celles dont le goût es[t]
toujours amer.

M. Perrier en vint à s'alarmer si fort de cett[e]
prostration qu'il proposa de se sortir un peu d[u]
pays. Et un dimanche, la diligence, qui ne s'étai[t]
jamais arrêtée que deux fois devant la maiso[n]
— pour y déposer le cousin Patureau et pour l[e]
remmener — fit une nouvelle halte. M. Perrie[r]
et son fils partaient pour Bordeaux. C'était leu[r]
premier voyage.

— Je suis trop vieux pour en faire beaucou[p]
d'autres, dit M. Perrier ; et, ma foi, mon ami, j[e]
le regrette !... Quand on s'acagnarde dans l[a]
quiétude, on ne recherche plus les agréments qu[i]
sont autour.

Il réfléchit et, amèrement, il soupira :

— On prend l'habitude de ses douceurs, et u[n]
beau jour elle vous pèse sur la poitrine et vou[s]
n'entendez que les reproches qu'elle vous fait.

A Bordeaux, devant les bateaux, sur le port
M. Perrier énonça :

— Patrice, si tu me quittais... tu entends ?...
u ne me reverrais plus...

Dans la soirée, il ajouta, comme s'il avait dé-
nêlé parmi les pensées de son fils précisément
elle qui l'épouvantait :

— Il ne faudra pas me quitter, Patrice !

Ils ressemblaient à deux veufs qui se sont
réunis pour confondre leurs tristesses.

A trois semaines de là, ils regagnèrent leur
maison ; et les jours tombèrent comme les jours
d'autrefois, en faisant si peu de bruit que nul
d'entre eux n'était un avertissement : on ne les
distinguait pas les uns des autres.

M. Perrier n'osait plus remuer ses regrets. Il
se voyait tel qu'il était, très vieux, et il s'imaginait que cela lui était venu tout d'un coup.
Quelque temps avant, il se sentait fort, alerte,
robuste ; or, voilà que, tout d'un coup, il cons-
tatait qu'il était fragile, craintif, hésitant, courbé.
Il n'avait pas senti que son corps et sa volonté
avaient grandement molli.

Ce fut ce premier voyage, en effet, qui marqua
le commencement de la chute de M. Perrier. Il
en était revenu comme d'une absence de dix
ans.

Alors, Patrice constatant que son père décli
nait se reprocha d'avoir hâté sa déchéance. I
organisa des distractions à sa portée : il pro
posait des promenades, il amenait Mᵉ Bousseror
pour le whist, il lisait à haute voix des livres e
une gazette, il riait avec application. Quelque
fois, on parlait du cousin Patureau. Une lettr
de lui arriva : la fortune avait encore visit
l'escarcelle de ce fou.

— De ce fou ? avait dit M. Perrier. Pas si fou

Il n'eut pas d'autre éloge pour le coureu
d'aventures qu'on avait tenu jusque-là pour ur
« qui avait reçu un fameux coup de soleil sur l
cerveau »... Un gros rhume survint, qui dégénéra
On appela le médecin, on mit des ventouses, or
fit une saignée, puis on plaça deux vésicatoires
Enfin on appela le prêtre...

Et M. Perrier s'éteignit dans une quinte d
toux, laissant derrière lui son fils, qui ne s'étai
pas encore accoutumé à l'idée d'être seul sur l
terre, et cette Honorine, qui savait si bien obéi
mais qui n'avait jamais su organiser la vie.

*
* *

Les premiers temps, Patrice ne s'occupa que du testament.

Son père y avait mis quatre pages de conseils et une autre où étaient énumérées les caches qui constituaient les réserves de sa fortune : deux à la cave, trois au grenier, cinq dans les chambres, une dans le pavillon du jardin...

Quelle histoire pour sortir les louis et les écus de leur retraite !

Lorsque Patrice eut ramené tant d'or au jour, il ne songea pas à autre chose qu'à tout replacer en lieu sûr.

Une nuit, l'idée lui vint de déposer cette réserve sous la grande dalle de l'âtre, dans la cheminée de la salle à manger. Cette pierre, il la connaissait depuis qu'il était au monde, et elle lui était si familière qu'il en aurait pu décrire les défauts et les accidents aussi sûrement que ce qui restait du bas-relief et des lettres gothiques.

C'était la pierre tombale de SIRE GODEFROY LEBOIN DE CLAVEREAU, SEIGNEUR DE LABLAN-CHERIE. Des mots avaient disparu ; le modelé du visage et du costume avait été en partie mangé — raboté par les passages des souliers et des sabots, jadis, avant la Révolution, quand la

pierre se trouvait dans l'église où Godefroy Leboin avait été inhumé ; ensuite, depuis qu'elle
avait été placée là, le feu avait fait son œuvre,
aidant les ripages et les coups de la pelle. On
pouvait encore lire : *Requies... pa...,*

Le seigneur de Lablancherie reposait peut-
être en paix ; du moins, il y avait longtemps que
ses restes avaient été privés de leur manteau
sculpté. Les Perrier n'y étaient pour rien —
l'affaire s'était faite avant eux ; ce qui n'em-
pêchait point Honorine, la veille des jours de
lessive, lorsque, ayant ensaché la cendre du
foyer, la dalle apparaissait dans son entier, de
l'asperger d'eau bénite et de dire une petite
prière dessus.

Les mânes de ce petit seigneur ne devaient
pas être contraires à la maison Perrier. Il est
probable, d'ailleurs, que si la pierre n'avait pas
quitté la dépouille du mort, on aurait moins
souvent prié pour le repos éternel de celui qui
s'était commandé une si belle tombe. Les chaus-
sures auraient continué de varloper les lettres, à
moins que, les archéologues s'en mêlant, tout ait
été sauvé. Mais il n'est pas d'exemple que les
archéologues caressent de prières leurs trou-

vailles. Donc il valait mieux que la pierre du
seigneur de Lablancherie eût son rôle dans le
sort des rôtis, des pot-au-feu et des lessives de
la maison Perrier.

Cette nuit-là, Patrice y pensa si fort qu'il ne
résista pas à l'envie de la contempler. Il descendit dans la grande salle, écarta la cendre et, en
examinant la large pierre, il remarqua que, par
un côté, elle ne tenait plus à son cadre. Il prit
un couteau, acheva de desceller deux briques,
passa la main, puis le bras, dans l'orifice.

Une grande excavation s'étendait sous l'âtre.

Il réfléchit un bon moment et, après avoir remis tout en place, il regagna sa chambre.

Durant une semaine, aux heures où Honorine
ne pouvait le surprendre, il aménagea la cachette, et il y déposa les bouteilles remplies d'or
et les pots de grès qui contenaient les écus d'argent.

Ensuite, il se complut à faire les rêves de
l'avare : il économiserait sur les fermages de son
domaine ; il remplirait le trou avec une nouvelle fortune monnayée ; il chercherait une
autre cachette qu'il remplirait aussi ; sa maison
serait pavée de richesses...

Au bout d'un mois, il se lassa de ces bille-
vesées, et le vide de son existence lui apparut
plus immense. Il rouvrit les livres qu'il avait lus
autrefois ; il les relut, puis il s'en fit expédier
d'autres.

Les récits de voyages et les romans d'aventures le passionnaient. Quelquefois, prolongeant
l'action, il s'identifiait aux héros. Il était
M. J. Arago dans *les Souvenirs d'un aveugle*, il
conversait avec Angela, la femme de l'île
Guham, avec Anarana, la jeune Malaise ; il dé-
vorait l'*Histoire des naufrages, délaissements de
matelots, hivernages, incendies de navires et
autres désastres de mer, recueillis des plus au-
thentiques relations, par M. Eyriès.*

Tout doucement, dans la solitude de sa demeure, sans qu'il s'en rendît exactement compte,
le projet d'un grand voyage prenait corps dans
son esprit.

Un soir, après le repas qu'Honorine venait de
lui servir, il prononça :

— Tout de même !... Si le cousin revenait ?...

— Votre cousin ? S'il revenait, il faudrait le
garder ici ! Il y a place pour lui.

Le lendemain, pensant encore au coureur de

routes qui avait secoué sa gaieté dans la maison, elle dit encore :

— Monsieur Patrice, vous devriez sortir des armoires ce qu'il a donné. On le pendrait aux murs.

Patrice ne répliqua rien, mais il occupa trois de ses journées à faire des panoplies.

Quand il en eut décoré la salle à manger et sa chambre, il lui parut que le cousin était un peu présent. On s'entretenait de lui librement, on essayait de se représenter son existence.

— C'est que, réfléchissait Honorine, il doit être vieux, à cette heure !... Qui sait, seulement, s'il vit toujours ?

Patrice calcula qu'Eugène Patureau était plus jeune que M. Perrier de dix ans et qu'il pouvait avoir la soixantaine.

— Moi, raisonnait Honorine, je m'imagine qu'il pense toujours à vous. Il serait temps qu'il revienne. N'êtes-vous pas son seul héritier ?... Enfin, j'ai ça dans la tête, il vous aimait bien ! Tenez, maintenant je peux le raconter, n'est-ce pas ? Je l'ai entendu le jour qu'il parlait de vous à défunt notre pauvre monsieur...

Elle rapporta ce qu'elle avait surpris de l'entretien.

— Monsieur n'était pas content, mais votre cousin lui répétait qu'il avait tort, qu'il fallait vous donner un métier, ou vous distraire en attendant... « Sans ça, gare à toi ! Il s'ennuiera, cet enfant, et il fera une bêtise. »

Patrice croyait l'entendre.

« Il fera une bêtise !... » Il n'en avait pas fait, à part de n'avoir pas parlé assez tôt dans le roman de son existence ; mais pour s'ennuyer... Ah ! oui, oui, il s'ennuyait ! Il ne voyait plus que le père Lefranc, de temps à autre, dans sa petite maison qu'il ne pouvait plus quitter, rivé à son fauteuil par les rhumatismes.

Lorsque Patrice revenait de chez le vieux, son accablement devenait mortel : il revivait un à un les beaux jours de la tendre et secrète histoire de son cœur. L'avenir lui paraissait si chérissable, alors ! Tandis qu'aujourd'hui, l'avenir, *son* avenir ? L'avenir, cela ne compte que si l'on en attend quelque chose ; or, il n'attendait plus rien du sien : il s'enfonçait dans un pays dont l'horizon était désertique. Quand il se retournait, il voyait tous ses regrets dressés.

Parfois, un accès de rage le soulevait : il en voulait à son père. Aussitôt, il se demandait s'il

n'était pas dénaturé d'avoir un tel sentiment.
M. Perrier lui avait-il jamais imposé sa volonté ?
Les mots qu'il avait proférés, après la débâcle,
lui remontaient à la mémoire : « Mon pauvre
petit !... » Bon ! Patrice ne pouvait en vouloir
qu'à lui-même ! La colère qu'il combattait devenait aussitôt la plus forte ; il s'abandonnait à
elle et la tournait contre lui.

Honorine ne le reconnaissait plus.

Il devenait autoritaire, renfrogné, jusqu'à ce
qu'un besoin de s'humilier le ressaisît. Alors, il
s'humiliait trop, devenait doux — tel qu'il avait
été au moment où Gabrielle était entrée dans son
cœur... Pendant ces périodes, c'était à peine si
Honorine pouvait le servir : sans bruit, il faisait
son lit, balayait sa chambre, et quand la servante survenait, tout était en ordre.

Elle le grondait.

— Écoute ! lui répondait-il, j'avais besoin de
me fatiguer.

— Ça ne fatigue pas de faire une chambre,
monsieur Patrice ! Ces affaires-là ne sont pas
pour vous. Allez donc vous promener ; c'est plus
profitable aux maîtres qu'aux domestiques.

S'il sortait et qu'il ne se sentît pas le cœur de

descendre jusqu'à la maison du vieux Lefranc, il
marchait par la campagne, vite, en recherchant
la fatigue ; mais quand il lui arrivait de suivre le
chemin des Deux-Moulins, sa détresse grandissait si démesurément qu'il n'avait plus raison
d'elle : c'était là qu'il avait le mieux senti qu'il
ne s'appartenait plus, là qu'il avait vu Gabrielle
comme il aimait encore se la représenter, hors de
la salle du *Lion d'or*, dans un cadre qui était fait
pour sa figure de vierge ; c'était là qu'il avait
senti qu'elle était un peu à lui ; c'était là où il aurait dû parler... Là, ou bien sous la charmille !...
Et, ralentissant, il se liait plus fortement par
la pensée à celle qui avait éclairé sa vie et qui,
le quittant, l'avait plongé dans les plus noires
ténèbres. Les moindres incidents de cette promenade surgissaient : il entendait la voix de
Mme Jousseaume et celle, si claire, si musicale de
Gabrielle.

Immédiatement, comme soulevé par une vague d'héroïsme, il rêvait de conquêtes, de dan-
gers, d'expéditions, de sacrifices, de mort glorieuse... Il pensait au cousin Patureau ; des
noms, dont chacun portait sa perfidie, remontaient : *Manaos Ayrao*, le grand fleuve *Amazone*.

Le Brésil !... Quelle formidable contrée il se représentait !... Des arbres hauts comme des clo-
chers, des cours d'eau peuplés de bêtes énormes, des forêts impénétrables où jouaient des
peuples de singes, des fleurs gigantesques... —
un immense et prodigieux paradis farouche.

Il irait !... Il irait !

Il se le promettait, sans y croire sérieusement ;
et voilà qu'un jour, l'idée, sans qu'il s'en doutât,
ayant accompli son lent et sûr travail de termite,
fit crouler son édifice d'habitudes, ne laissant
debout, à côté des décombres, qu'une terrible
résolution !

Il irait !... Il irait !

L'air de la ville lui pesa plus fort ; la maison
lui parut plus triste, le jardin plus étroit, la
charmille mortelle.

On était aux froids du plein hiver ; les chemins
étaient secs et sonores, les champs n'avaient ni
gaieté, ni mélancolie. Tout était mort et hostile,
et le feu dans les cheminées ne parvenait pas à
réchauffer les pièces de la demeure.

Le cousin avait parlé de l'été des tropiques ;
il n'y avait que des étés, là-bas : des pluies, du
soleil, des pluies, encore du soleil !...

Patrice se dressa, serra les poings, jeta un regard de défi à ce qui l'entourait, au milieu de quoi il avait passé sa vie...

Il irait !

Rageusement, il s'habilla, descendit jusque chez le père Lefranc et, sans respirer, il lui fit part de sa résolution.

Le vieux l'écoutait, effondré dans son fauteuil.

Lorsque Patrice prononça :

— Je reviendrai !

Le père Lefranc haussa les mains :

— Vous reviendrez, monsieur Patrice, vous reviendrez sûrement ; malheureusement, moi... je ne serai plus là pour vous voir... Taisez-vous ! J'ai besoin de vous parler !... Je me sens tout près du tombeau. Il faut que vous m'écoutiez ! Je ne suis qu'une vieille bête d'homme qui a vécu sans savoir pourquoi et, aujourd'hui, je me demande, en effet, pourquoi on m'a mis sur la terre !... Je n'offense pas le bon Dieu, monsieur Patrice ; je suis croyant. Ça n'est pas lui que j'accuse, c'est moi ! Du temps que j'étais jeune, j'ai cru que la vie se faisait toute seule, qu'on n'avait qu'à se laisser aller. L'avenir ?... On avait tout le temps de prendre des précautions

pour l'avenir... Surtout — voilà ! — je n'ai jamais pensé aux heures qui précèdent la mort.
Eh bien ! j'en suis à ces heures-là, et je vous
promets que ça n'est pas beau quand on fait son
bilan et qu'on le trouve si médiocre ! Si l'on ne
peut pas se persuader qu'on a été utile à quelqu'un... Ah ! ça n'est pas beau ! Moi, je n'ai été
utile à personne. J'ai vécu, comme ça, pour moi,
tranquillement. Demain, quand je disparaîtrai,
il n'y aura pas trace de mon passage. Ça n'est
pas parce que j'ai de l'orgueil que cette vilaine
pensée me vient ; c'est parce que je m'en veux
de n'avoir rien fait de vraiment bon ; rien ! Je
n'ai été qu'un oiseau dans une cage — un oiseau
d'une espèce qui ne chante pas.

Il sanglota :

— Je voudrais recommencer ! Je pourrais
faire tant de bien, monsieur Patrice !... Je pouvais en faire tant ! J'avais de l'argent...

Il tendit le bras vers un coin de sa chambre :

— Il est là à dormir, depuis que mes parents
sont morts. Je pensais qu'un jour j'en aurais
besoin pour m'établir ; je voulais toujours me
marier... J'ai commencé par regarder trop haut !
Ensuite, je me suis donné trop de temps... Et

voilà ! C'est déjà fini ! Je meurs vieux garçon...
Alors, vous m'apprenez que vous voulez partir
pour l'Amérique, que vous voulez retrouver
votre cousin Patureau ?... Eh bien, moi, je vous
dis : « Partez ! » Ça vous étonne ?... Partez, monsieur Patrice ! Faites quelque chose. Si vous ne
trouvez rien à faire là-bas, revenez ici, achetez
des terres, travaillez et mariez-vous... Je sais !
Vous n'avez pas oublié... Tant pis, monsieur
Patrice ! C'est bon dans les romans : écoutez-
moi !... Vous vous marierez, vous aurez des enfants, vous les ferez travailler. Il ne faut pas que
le jour où votre fin sonnera, vous vous trouviez
seul dans une chambre, attendant la fin de l'histoire... Le bon Dieu ne nous met pas sur la terre
pour que nous y passions comme des indiffé-
rents... Qu'est-ce que je LUI dirai, moi, quand il
me recevra ?...

Il s'était pris la tête et pleurait :

— Vous entendez ? Travaillez... et puis mariez-vous... et faites du bien, monsieur Patrice !
Vous entendez ?... Moi, voyez ! me voilà très
bas, si bas que je n'ai même plus la force de me
mentir. Alors, je fais mon compte : au sens de la
religion, je n'ai pas été un méchant ; au sens de

la loi, j'ai été un honnête homme... A mon sens
de pauvre vieux qui en est au mauvais bout de
son rouleau, je n'ai été qu'un inutile. Je n'ai
jamais fait de mal, mais je n'ai jamais fait de
bien !... Il y a comme cela des égoïstes qui com-
mettent des crimes rien qu'en ne saisissant pas
l'occasion de faire une bonne action... Ici, dans
ce pays, on a honte de se distinguer des voisins.
On fait comme eux — et les voisins ne font rien
de beau, jamais ! Leur cœur est fermé... Aussi,
partez donc ! Allez voir ailleurs. Je vous en
supplie : partez ! Vous essayerez de faire du
bien !... Mon Dieu, que j'ai donc gâché ma
vie !

Oui, Patrice l'entendait ! Oui, il travaillerait !
Se marierait-il ?... Ah ! cela...
Mais il partirait !
En s'en retournant chez lui, ce qui avait paru
le retenir ici n'existait déjà plus. Dans la rue,
étroite et sombre, les maisons rapprochées l'é-
crasaient ; lorsqu'il fut sur le plateau, le paysage
qu'il découvrit ne lui parla plus le langage ordinaire. Sa maison lui sembla morte... Durant que
le père Lefranc confessait la faillite de son existence, il avait entrevu les larges espaces que le

cousin lui avait décrits et le terrain que ses rêves, plus tard, avaient labouré.

Une sorte de fièvre le gagna, à laquelle il ne résista pas.

Il appela Honorine et, sans lui donner le temps de placer un mot, il l'informa qu'il partait ; puis, obéissant à l'exaltation qui l'avait saisi, il se rendit au minage, pour retenir sa place dans la diligence, et chez le notaire.

Ce fut ainsi que l'aventure débuta. Après, il regagna sa demeure, plus calme, considérant déjà tout d'un autre œil : la terre ne se limitait plus aux coteaux qu'il apercevait à son lever et aux plaines qu'il avait traversées en allant à Bordeaux. Le monde s'offrait à lui avec sa géographie dans laquelle les paysages qu'il connaissait n'avaient même pas une petite place. De se le représenter si vaste, il n'en éprouvait plus ses anciens vertiges : cela, au contraire, lui donnait de l'allégresse.

Honorine était en prières, agenouillée dans sa cuisine, devant le Christ de bois qui était au-dessus de la table, lorsque Patrice entra.

Elle le regarda tout en larmes, et ne put rien articuler.

— Ne te tourmente donc pas ! dit-il. Toi, tu resteras ici. Ton sort ne sera pas changé.

Et il lui communiqua son projet, étonné d'avoir tout prévu, lui qui ne s'était point imaginé, en échafaudant des projets déraisonnables, qu'il les réaliserait jamais.

Lorsqu'il eut dîné, il s'assura que les volets étaient bien clos, que nul passant ne rôdait près de la maison et, ayant fait revenir Honorine dans la salle à manger, il lui avoua qu'il avait vu Mᵉ Bousseron et qu'il avait pris des arrangements avec lui.

— Il te versera, chaque mois, jusqu'à mon retour, l'argent pour ton entretien et, deux fois l'an, le montant de tes gages. Quant à mon argent, c'est toi qui le garderas. Il est ici ; je te montrerai l'endroit.

Il mit quinze jours à réaliser sa fortune, cédant ses créances, se débarrassant d'un immeuble, vendant le pâtis qui bordait le pré de Duvignaud, attaché à tout régler avant de partir.

Le bruit de son voyage s'était répandu dans la ville, et des gens, qu'il ne connaissait que pour être salué par eux, venaient le trouver et tentaient de le dissuader d'abandonner le pays. Il était comme un héros qui se prépare à tenter une dangereuse aventure. M⁰ Bousseron insistait, lui aussi ; mais c'était encore Mme Souriceau qui savait présenter l'argument le plus éloquent et sous le plus terrible éclairage. Elle entretenait Patrice de Mme Perrier, cette pauvre maman morte si jeune et qui avait été son amie :

— Elle ne l'aurait pas voulu, monsieur Patrice !...

Patrice la laissait plaider, insensible, se répétant à part lui les mots qu'avait prononcés son père en parlant du cousin : « Pas si fou !... Pas si fou ! » et se représentait la fin du vieux Lefranc, lui qui achèverait sa vie sur le regret de n'avoir pas vécu.

Tandis que Mme Souriceau parlait, sa fille demeurait muette, les mains jointes. Un grand débat se livrait dans son esprit, ou dans son cœur. Quand elle entendait Patrice répéter qu'il était décidé au voyage, c'était comme si ses muscles lâchaient leurs attaches.

— Je reviendrai, voyons ! J'en aurai pour deux ou trois ans. Quelque chose me dit qu'il

faut que je cherche le cousin. Je le ramènerai...

Rechercher le cousin ?... Y pensait-il sérieusement ?

Enfin, la situation étant nette, Mᵉ Bousseron
ayant versé à Patrice, en monnaie d'or, ce qui
lui revenait, le voyageur se trouva prêt. Il préleva sur son capital l'argent de l'expédition,
plaça le reste dans une petite malle blindée qui
ne servait plus qu'à ranger des vieux clous et, le
soir même, il s'arma d'un pic, appela Honorine,
lui fit enlever la cendre du foyer, puis commença
son travail.

Honorine soupirait en l'aidant.

Ils se parlaient à voix basse : ils avaient l'air
de deux voleurs.

Lorsque les bouteilles, où étaient rangées les
économies que M. Perrier père avait faites, ap-
parurent, Honorine faillit en laisser chavirer sa
chandelle. L'or, au fond de ce trou, avait de
brefs éclats.

Elle demanda, tremblante :

— Vous le saviez, monsieur Patrice ?

Il lui expliqua que c'était lui qui avait amé-
nagé la cachette.

4

— Tu ne te serais pas doutée qu'il y en avait une ici, hein ?... Donc, c'est qu'elle est bonne ! Nous allons y placer autre chose.

Ils se rendirent dans une chambre du premier, qui ne servait plus depuis la mort de M. Perrier, et Patrice montra la petite malle à Honorine :

— Voilà où se trouve le reste de ma fortune !

Quand, enfin, Patrice eut descendu la malle, qu'il y eut versé le contenu des bouteilles et des pots, qu'il l'eut fermée à clef et qu'il l'eut déposée dans le trou, il tira de sa poche un christ en argent, celui qu'avaient tenu, sur leur lit de mort, M. Perrier et, avant lui, paraît-il, sa femme et, plus avant encore, le père et la mère de sa femme. Il s'agenouilla, le baisa sur le front, sur les pieds et sur chaque main ; il invita Honorine à l'imiter, puis, à voix basse, il commença de parler.

— Honorine, fit-il, je n'ai plus au monde que le cousin et toi. Le cousin, je pars pour essayer de le retrouver. Si Dieu me protège, je reviendrai et tu seras là... J'ai enfermé ici tout ce que je possède. Il y a... Je ne sais plus au juste ! Enfin, il y a tout ! Toi seule peux m'en priver si tu le veux, mais je te connais, et j'ai confiance en toi. Pourtant, à certains moments il faut qu'on commande fortement à son cœur. Je vais t'y aider ! Veux-tu jurer sur ce christ que tu ne révéleras à personne ce que tu apprends en ce moment ?

Honorine joignit les mains.

Il reprit :

— Veux-tu jurer ?

Subjuguée par cette autorité nouvelle, Honorine acquiesça.

Alors, Patrice plaça le christ sur le dessus de la malle :

— Jure sur Notre-Seigneur Jésus-Christ que tu ne révéleras à personne que ma fortune est dans cet endroit...

Elle étendit la main :

— Je le jure !

— ... Que tu ne soulèveras jamais les pierres et les carreaux que nous allons replacer, sauf si tu en reçois l'ordre de moi, par une lettre qui devra porter, en haut, sur le coin gauche, une petite croix et, en bas, sur le coin droit, une couronne d'épines ; que tu demeureras fidèle à ton engagement de rester là toute ta vie...

Elle répéta le serment mot à mot.

— Maintenant, poursuivit Patrice, moi je jure

que je ne t'abandonnerai jamais ; que, si je reviens, je ne me séparerai pas de toi, et que je
t'assurerai, quoi qu'il advienne, des jours pai-
sibles jusqu'à la fin de ton existence.

Il se pencha, se retint des deux mains au bord
du trou ; et, étant parvenu à poser ses lèvres sur
le christ qui, les bras étendus, semblait déjà in-
terdire de toucher à la fortune si bien en place
pour y dormir longtemps, il le baisa dévotement
et fit glisser la caisse vers le fond de la cachette.

Honorine pleurait en silence, n'essayant plus
d'intervenir : tout n'était-il pas consommé ?

Lorsque Patrice se releva, il l'embrassa, l'en-
tretint des disparus qu'elle avait mis en terre et,
chassant l'émotion qui l'étreignait, il parla du
retour :

— Tu verras ! Je ramènerai le cousin. Il sera
riche. A nous deux, nous serons les maîtres du
pays.

Enfin, Patrice ayant refait son compte et s'é-
tant assuré qu'il emportait assez d'or pour un
voyage de deux ans, ils comblèrent la cachette
avec des cendres froides ; ensuite, ils replacèrent
les briques et les carreaux du pavage, les scellè-
rent avec du ciment ; et puis, ils demeurèrent là,

silencieux, comme devant une tombe fraîche-
ment fermée.

Et c'était positivement la tombe du passé.

Honorine fit disparaître les traces de leur
travail, dressa le feu pour le lendemain ; et ils
se séparèrent.

Le jour pointait à peine quand Patrice entendit remuer des meubles, au rez-de-chaussée... Il
bondit hors du lit, enfila son pantalon et descendit, retenant son souffle...

C'était Honorine qui balayait la salle à manger.

— Il y avait de la cendre partout, expliqua-
t-elle. S'il était entré quelqu'un, tout à l'heure...

Elle avait pensé à cet or dont elle aurait désormais la garde et, hallucinée par la peur d'être
volée, elle n'avait pas fermé l'œil de la nuit.

Lorsque le premier coup de la messe sonna, il
se mit en route pour l'église et, quand il en sortit,
il passa par le cimetière où il dit adieu à ses
morts. Il y avait les tombes des Perrier ; il y
avait aussi, à quelques pas, de l'autre côté de la
petite allée, une dalle neuve où était gravé :
Famille Lefranc, concession à perpétuité. Il s'a-
genouilla devant.

Avant son déjeuner, il fit encore une visite à son vieil ami qui lui dit :

— Toujours décidé, monsieur Patrice ?

— Toujours décidé !

Le vieux serra les lèvres :

— C'est bien ! Vous avez raison. Il faut avoir de l'énergie.

Il en avait, en ce moment, le pauvre homme qui s'était accusé d'en manquer ! Les sonnailles de la diligence qui emporterait Patrice sonneraient son glas ; il n'aurait plus personne à l'instant suprême, quand viendrait son dernier jour, personne pour lui tenir la main, personne pour prononcer les mots pacifiants qu'il faudrait ! Quand, sur une respiration, sa poitrine ne se regonflerait plus, ce serait son voisin, qu'il n'aimait guère, ou le sacristain, peut-être, qui lui fermerait les yeux... Et il aurait tant voulu que ce fût Patrice qui les lui fermât !

Il s'était pris à l'aimer comme un fils !

Mais il fallait se taire.

— Bast, fit-il au bout de ses réflexions, Me Bousseron viendra me voir plus souvent !... Il faut se faire une raison, n'est-ce pas ?... Vous, monsieur Patrice, vous avez un grand domaine devant vous. Il s'agit de l'ensemencer avec de bons grains.

Patrice était sur le point de se retirer, lorsque le père Lefranc lui fit signe de s'approcher :

— Une supposition que je ne sois plus là, quand vous reviendrez... Eh bien, vous irez à l'étude de Me Bousseron ; il y aura quelque chose pour vous, monsieur Patrice... Chut ! Taisez-vous !... Vous comprenez, moi, je n'ai pas d'autre famille que vous. Si, si !... Ah ! il n'y aura pas gros, parbleu ! Tout de même, je serai content que ça ne soit pas à un autre. Je l'ai dit au patron ; il a le papier.

Patrice essaya de plaisanter, mais le vieux reprit sérieusement :

— Vous penserez un peu au père Lefranc, pas vrai ? Moi, vous savez, j'aurai tout le temps de penser à vous, et si le bon Dieu a pitié du dernier vœu qu'on peut faire sur la terre, il vous aura en sa garde, parce que vous pouvez être certain que...

Il ne put achever : il ouvrit les bras et ils s'étreignirent.

Était-il possible que ce vieux l'aimât ainsi ! Patrice n'avait jamais rien fait pour mériter tant

de tendresse... Et voilà qu'un cœur se découvrait — si tard !

*
* *

La veille de son départ, Patrice se sentit plus
fort qu'il n'aurait cru.

A la vérité, il ne raisonnait pas.

Vers le soir, Honorine lui annonça les dames
Souriceau qui venaient lui faire leurs adieux.
Mais quand Mme Souriceau eut répété les an-
goisses qu'elle éprouvait, elle se tut : son silence
était plus éloquent et plus réprobateur que son
bref discours. Près d'elle, sa fille demeurait les
yeux baissés. Enfin, elle osa dire à sa mère :

— Les lettres, maman !

— J'allais les oublier !... Monsieur Patrice,
vous ne devez pas avoir de lettres de votre
pauvre maman, n'est-ce pas ?... En voici deux...
Si vous voulez les emporter... Et puis, tenez,
monsieur Patrice, j'ai encore un souvenir d'elle...

C'était une petite croix en or.

Mlle Souriceau avait pleuré dessus depuis
longtemps.

Cette fois, le passé livra un brusque assaut à
l'esprit de celui qui se préparait à s'expatrier.

Des lettres de sa mère ? Une croix qu'elle avait portée ?... Ah çà ! tout le monde avait donc de l'affection pour lui ?

Il se laissa embrasser comme un tout petit, sentit que son regard devenait trouble et que sa volonté fuyait : il avait conscience qu'il glissait vers des faiblesses agréables.

Après le dîner, en reportant le pain dans l'arche, Honorine pensa tout haut qu'elle ferait un arrangement avec les dames Souriceau :

— Nous prendrons quatre livres pour nous trois... C'est comme pour le lait, je m'entendrai avec elles.

Voilà qu'elle lui montrait l'avenir dans lequel il ne serait qu'un souvenir !

S'il était à l'agonie, il ne verrait pas plus clairement le désastre de son cœur dont la vie était sur le point de s'arracher.

Quoi, quoi ? Plus rien de lui n'agirait ici ?... Pourtant, on obéirait aux ordres qu'il laissait, et quand une de ses lettres en apporterait d'autres, on obéirait encore... On obéirait, oui ! mais comme aux prescriptions d'un testament. Il ne serait vivant que pour lui-même ; d'ailleurs, il voyait bien comment il serait puisqu'il savait comment, ici, on se représentait le cousin Patureau.

Il serait comme le cousin Patureau !

*
* *

La nappe était enlevée depuis longtemps et Patrice était toujours dans son fauteuil de paille, le coude à la table et la tête dans la main.

Honorine lui avait parlé deux fois sans qu'il lui répondît.

La pendule sonna neuf heures et Patrice se leva.

La salle à manger était balayée, tout était en ordre.

Dans le coin gauche de l'âtre, sous la salière et les jambons, Honorine, agenouillée, achevait sa prière.

Elle avait entendu son maître bouger, mais c'était, à l'ordinaire, au coup de neuf heures qu'il quittait son fauteuil. La pendule achevait de sonner. Rien encore, dans l'ordre accoutumé des choses, n'avait été modifié. C'était comme si la catastrophe si proche avait soudainement reculé.

— *...et à l'heure de notre mort, ainsi soit-il!* marmonna vite Honorine en se levant.

Elle mit deux doigts dans le petit bénitier de porcelaine qui était au manteau de la cheminée, alla présenter l'eau bénite à Patrice, se signa en même temps que lui, revint devant l'âtre pour y secouer son tablier, prit un tortillon de papier et le présenta au tison le plus brillant du foyer, tout cela comme chaque soir. Mais ensuite, elle oublia de se hâter vers la desserte où étaient préparés les deux bougeoirs.

Elle demeura sans mouvement, écrasée, jusqu'à ce que la flamme lui brûlât les doigts. Alors, elle rejeta l'allumette... Demain, elle serait seule dans cette maison où elle s'était sentie si bien chez elle, si au chaud, protégée... Elle y était entrée pauvre, dans l'état fruste d'une bête de la ferme, sans se douter qu'il y avait une douceur à la vie ; et plus les jours de servitude s'étaient accumulés, mieux elle avait vu qu'elle était en train d'acquérir une richesse imprévue — celle de la sécurité de la vie. Elle qui était née pour se demander chaque matin ce que serait le jour qui se préparait, elle se réveillait sans se questionner sur la forme que revêtirait son ha-

bituel bonheur : le soleil l'éclairerait-il ?... Ou-
vrirait-on les fenêtres ?... Se calfeutrerait-on ?
Dresserait-on le feu dans les chambres ?... Fau-
drait-il casser la glace du bassin pour faire boire
les poules ?... Toutes les saisons avaient leur
charme, et chaque heure avait le sien : à l'aube,
la rosée du jardin que les sabots froissaient, la
fumée de la première flambée qui devait fournir
la braise du petit déjeuner, le grand courant
d'air qui traversait les pièces au moment du
balayage et la sensation de bien-être qu'on avait
ensuite quand on fermait les portes et les fenêtres ; et puis l'heure de la préparation des repas... Toutes, toutes les heures étaient charmantes. Maintenant, toutes recélaient une menace.

D'un grand geste tournant, elle montra les
murs, le sol, le plafond — la maison, enfin, et le
pays — et elle articula, terrible :

— Vous allez tout quitter !

Honorine disparue, Patrice se leva, contempla
l'horloge, s'en approcha, la caressa de la paume,
l'ouvrit et, bien qu'elle eût encore plus d'une
semaine à marcher, il remonta ses poids. Il avait
besoin de prolonger la trace de son existence
dans sa maison.

Il passa tous les meubles en revue, s'emplit les
yeux du spectacle de ce qu'ils contenaient,
toucha la vaisselle, le linge, et si tard, dans sa
vie bourgeoise fit des découvertes : un coffret de
palissandre où dormaient, dans une double en-
veloppe de papier de soie, une couronne et un
petit bouquet de mariée, un voile de tulle, une
paire de gants d'homme, une paire de gants de
femme, une pièce de quarante francs en or, et
deux souliers de satin blanc, à la semelle si
mince qu'ils semblaient être des objets de vi-
trine ; un petit cadre avec deux mèches de cheveux et une date : celle du mariage de M. et
Mme Emmanuel Perrier.

Mon Dieu ! Ces objets qui remontaient d'une
telle nuit en un pareil moment !

Dans un autre coffret, il y avait un brassard
de premier communiant, un chapelet de nacre,
un livre de messe à fermoir d'argent, des gants
de fil blanc, un certificat de première communion — celui de Patrice Perrier : 2 mai
1839.

Ce qu'il avait connu venait au secours de ce
qu'il n'avait jamais vu : il se représenta sa
maman, plus jeune qu'elle ne lui était encore

apparue, et son père. Il les vit, élégants, heureux...

Et quand il eut passé tous les meubles en revue, il chaussa ses sabots et s'en fut au jardin.

A cette heure, le silence et la nuit le creusaient immensément.

Il s'avança dans l'allée centrale ; une molle bruine ouatait les ombres. Des crapauds battaient leur enclume de bois du côté de la baillotte. La terre sentait la cour de ferme tiède et pleine de création. Très loin, sur la route, on entendait le crissement des roues d'un chariot et l'air que sifflait quelqu'un.

Patrice voulut s'aventurer sous la charmille mais la nuit y avait placé une barrière. D'ailleurs à quoi bon ? Il désirait revoir une dernière fois ce qu'il avait vu pour placer en lui une image plus fraîche de ce qu'il ne pouvait emporter... ? Eh bien ! il n'avait jamais vu la charmille que le jour, ou encore par les chaudes soirées d'été quand il y avait de la lune. Ce jardin noir, au sol menaçant, il ne le reconnaissait pas.

Il rentra.

Lorsqu'il fut dans sa chambre, qu'il en eut fermé les portes et posé la chandelle sur la che-

minée, il commença de se déshabiller et, comme
un voyageur exténué, il s'assit sur le lit.

...« Tu as raison, Patrice ! prononçait une
voix qui résonnait à ses oreilles en même temps
que les coups sourds de son cœur. Il faut écouter
le père Lefranc ! Pars !... Es-tu bien préparé
pour cette aventure ?... Que représente la dis-
tance que tu as parcourue en trente ans si tu la
compares au long ruban que tu dois dérouler ?...
Pense, Patrice ! La mer !... La mer devant laquelle tu ne t'es jamais trouvé ! La mer, les
tempêtes, les calmes plats pendant lesquels on
se demande si une force inconnue ne va pas
soudain vous aspirer et vous entraîner vers les
fonds insondables, les îles inconnues, les ri-
vages terribles, les grandes heures aveuglantes,
les tornades de pluie et puis, là-bas, Manaos,
Ayrao, Fonte-Boa, le grand fleuve Amazone, les
forêts vierges... Qu'est-ce que cela représente
encore pour toi, pauvre garçon, qui t'es forgé des
tableaux dont aucune couleur ne résistera au
grand soleil des tropiques !

« Patrice, Patrice, ne tremble pas !... Tu vas
naître à une nouvelle existence pour laquelle tu
n'es pas fait ?... Tu t'y feras ! Tu ne retrouveras

peut-être pas le cousin, Patrice, mais tu reviendras, avec une grande conviction au cœur, celle d'être devenu un homme... »

Et la voix continua de parler pendant un temps que Patrice ne put évaluer. Les coups de son cœur la scandaient tantôt durement, tantôt mollement, comme pendant un accès de fièvre. A un moment les coups de son cœur et la voix durent se confondre et une paix traversée d'agitations brèves s'établit.

Quand il ouvrit les yeux, il aperçut une lueur qui courait sur le plancher, s'évanouissait et reparaissait.

Sans remuer la tête, il vit que la chandelle achevait de brûler.

Il fit un mouvement, mais son cou était douloureux, ses mains étaient engourdies, et il lui semblait qu'il ne pourrait plus jamais se redresser.

D'un bond il se mit debout, furieux de s'être ainsi laissé gagner par le sommeil et d'avoir gâché sa dernière nuit chez lui.

La chandelle s'éteignit tout à coup. Alors Patrice se déshabilla vivement et se mit au lit, ayant hâte de goûter la fraîcheur parfumée d'iris de ses draps et cette joie du repos aisé qui, dans son enfance, le faisait courir à sa chambre en commençant de se dévêtir dans l'escalier.

Il était à peine dans son lit que la pendule de la salle à manger sonna trois heures.

Il essaya de prier sans se laisser distraire, malgré les noms fulgurants qui traversaient son front : Ayrao, Fonte-Boa, Manaos... Il enfouit sa tête dans l'oreiller, se répétant : « Goûte le parfum de bonne lessive de ton linge, hume cette odeur que tu as sentie depuis que tu étais petit... Pense à ton enfance, à tes petits bonheurs, à tes parents qui t'ont quitté... Pense à Gabrielle ! Elle t'a peut-être aimé. Rappelle-toi cette promenade dans le chemin des Deux-Moulins ! Vous ne vous êtes rien dit et pourtant cette douceur que tu as sentie était si forte qu'elle n'a pas pu ne pas la sentir. Elle était peut-être de vos mutuels aveux. Voyons ! Pense bien à Gabrielle ! En somme c'est à cause d'elle que tu pars ! Mais oui ! Si elle n'avait pas traversé ta vie, tu serais comme les gens que tu as connus, ni plus ni moins exalté... Tu te dis que tu as détesté Gabrielle, certains jours ?... Non ! Tu ne l'as pas détestée ! Elle est demeurée la sainte de la religion de ton cœur. Qu'elle était belle ! Qu'elle était douce ! La jolie existence qu'aurait été la tienne si tu l'avais partagée avec elle !... Tu as été bien misérable après son départ, tu as failli devenir injuste et méchant ; aujourd'hui même, tu endures encore une immense douleur : or, avoue-le, tu ne changerais pas ton passé pour un passé où il n'y aurait pas cette flamme qui t'a pourtant si profondément brûlé !...

L'horloge de la salle à manger prépara sa sonnerie : Patrice se réveilla en sursaut.

Il faisait nuit ; cependant, une échelle de trouble clarté était dessinée sur les persiennes de la fenêtre.

Au rez-de-chaussée, l'horloge sonna cinq heures. Aussitôt, la pendule de la chambre reprit l'heure.

Patrice eut un geste de colère : sa dernière nuit chez lui était gâchée !

Il rejeta ses draps, sauta du lit, fit sa toilette au galop et descendit sans bruit pour ne pas réveiller Honorine. Or, il vit que le feu était allumé et que son couvert était dressé.

Honorine sortit de la souillarde.

Il lui dit :

— Je crois que tout est prêt ?

Elle répondit « oui » de la tête et des paupières.

Il mangea vite, regagna sa chambre quatre à quatre, s'équipa, redescendit botté, coiffé, déposa sa sacoche sur la table, et sortit.

Il se dirigea vers la rivière, par le chemin des Deux-Moulins, entra en ville par le bas quartier, parcourut des rues, pénétra dans l'église au moment où l'on sonnait la première messe, passa devant l'étude de Mᵉ Bousseron, devant le *Lion d'or*, devant le minage où quelqu'un lui annonça qu'un homme était allé chercher ses bagages et qu'ainsi la diligence n'aurait qu'à le prendre en passant. Partout on le saluait et on voulait lui parler, mais il était pressé, pressé : il voulait revoir une dernière fois tout ce qu'il connaissait si bien, ce qui l'avait harassé, ce qui lui semblait si précieux maintenant.

Il monta chez le père Lefranc, pour l'embrasser une dernière fois.

Il se rendait au cimetière quand Honorine le rejoignit, affolée : la diligence l'attendait. La pauvre fille avait déjà battu la moitié de la ville pour le chercher.

Ils gravirent la côte à grands pas et ils arrivèrent haletants. Le conducteur s'impatientait, mais Patrice lui chuchota sous le nez :

— Je vous donnerai la pièce !

Alors, ce fut le conducteur qui fit taire les deux voyageurs qui maugréaient.

Patrice s'engouffra chez lui, monta au premier, traversa les chambres.

— Je vous dis que tout est dans la voiture ! lui cria Honorine.

Quand il reparut, il ouvrit la porte du jardin.

A cet instant, la domestique vit bien ce que son maître cherchait ; elle se tut.

Enfin, il se retourna, les joues blêmes ; il écarta les bras, les laissa retomber : c'était fini !

Il embrassa Honorine, se trouva poussé devant le marchepied de la guimbarde, monta près du conducteur ; il répondit « oui » quand on lui demanda :

— Vous y êtes ?

Et les trois chevaux partirent au trot.

Mais, soudain, Patrice, se penchant tout entier hors de la capote, sans prêter attention à l'homme qui tirait déjà sur les rênes, cria :

— J'ai remonté l'horloge de la salle à manger !
Elle en a pour quinze jours !

Les deux voyageurs de l'intérieur ne se gênè-
rent pas pour rire un bon coup.

Le conducteur dit :

— Nom d'un chien ! j'ai cru que vous aviez
oublié quelque chose !

Patrice ne l'entendit pas. Il voyait la maison
qui se rapetissait, deux formes noires qui étaient
de l'autre côté de la rue — les deux dames Souriceau... Il les avait oubliées ! — et Honorine qui
lui faisait des signes.

Le grand toit de sa maison disparut...

Patrice s'assit, anéanti, et, sans un sanglot, il
pleura.

Tout à coup, comme sous l'assaut d'une idée,
il s'essuya les yeux, vite, vite, et regarda.

Mais à travers de nouvelles larmes il n'a-
percevait que les silhouettes troubles des
arbres, des clôtures, et des gens que l'on croisait.

Rageusement, il se passait son mouchoir sur
les paupières. Peu lui importait qu'on s'aperçût
de son désarroi. Il n'avait plus la pudeur de se
montrer avec sa faiblesse.

Lorsqu'il put, enfin, distinguer clairement le paysage, son pays n'était plus là.

On avait franchi la côte, on roulait sur la descente...

— Alors, monsieur Perrier ! dit gaillardement le conducteur, il paraît que vous allez loin ?

Patrice soupira en articulant :

— Oui !

— Je me rappelle, reprit l'homme, quand je vous ai emmenés à Bordeaux, vous et votre défunt père. Ah ! c'était un bien brave homme !

Son père !... Le passé remua encore. Néanmoins, tout ce que Patrice laissait lui semblait faire partie du domaine des morts : Honorine, la maison, le vieux Lefranc, la ville... Tout, tout ce qu'il y avait derrière lui était mort !... La vie était en avant, avec des réalités menaçantes : Manaos, Fonte-Boa, le fleuve Amazone...

Des réalités ?... Cela existait-il quelque part ?

Le printemps naissait ici. La jolie saison ne serait pas pour lui !

DEUXIÈME PARTIE

Tout de suite après que la diligence eut été happée par le tournant de la route, Honorine voulut s'enfermer dans la maison, mais Mme Souriceau, qui s'était avancée, lui dit en soupirant :

— Ma pauvre Honorine, vous n'avez pas dû beaucoup dormir cette nuit ! Je n'ai pas cessé de voir la lumière chez vous.

Sans lui répondre, Honorine franchit le seuil et, à tour de bras, elle poussa la porte.

Ce fut comme un coup de canon : les vitres et la vaisselle en tremblèrent.

Le malheur rend injuste.

Une vie nouvelle commençait.

D'abord, Honorine ne se donna pas le temps de se reconnaître : la besogne ne manquait pas. Elle se jeta dessus comme si elle avait été aux pièces. Il y avait la maison à mettre en ordre, le jardin à faire — et elle entendait bien ne demander l'aide de personne.

Une quinzaine après le départ de Patrice, elle reçut de lui une lettre. Il attendait à Bordeaux le moment de s'embarquer, et il lui notifiait qu'elle pourrait acheter une chèvre si elle n'avait pas changé d'avis. Elle acheta la chèvre. Elle avait attendu cette permission pendant vingt-cinq ans !

L'occasion s'offrant de monter un clapier, elle acquit des lapins ; et elle profita de ces remaniements pour améliorer le poulailler.

Tout cela l'empêcha de penser à autre chose et particulièrement à l'argent qui dormait sous le foyer.

Quatre fois, pendant les beaux jours de l'été, elle eut la visite du père Lefranc. Le pauvre homme était bien bas.

Me Bousseron monta aussi jusque chez elle et il s'extasia sur la bonne tenue du jardin.

— Vous vous tuez, ma bonne ! dit-il.

Honorine eut un coup de tête orgueilleux :

— Je ne me tue point, d'abord ! Et il sera toujours temps de m'arrêter quand je n'en pourrai plus.

— Vous prendrez quelqu'un.

— Ça, jamais ! lança-t-elle vivement.

Et pour corriger la brutalité de son exclamation qui pouvait donner à penser précisément ce
qu'elle ne voulait pas avouer, elle ajouta :

— C'est pour passer le temps, vous comprenez !... Qu'est-ce que je ferais donc si je prenais
quelqu'un ?

Elle ne voulait personne près d'elle.

De fait, en dehors du père Lefranc, de
Mᵉ Bousseron et, aussi, des dames Souriceau,
qu'elle était bien obligée de recevoir, personne
n'entrait dans la maison.

L'hiver tomba soudain. Alors commencèrent
les plus pénibles journées d'Honorine. Il fallait
en occuper les longues heures pareilles, et elle
était empêtrée de sa personne. Elle eut trop de
temps pour penser à sa sécurité dans cette vaste
demeure isolée. Quand on a tant de loisirs pour
se garder des mauvais coups, c'est le moment
qu'on en prend peur. Elle fit la réflexion que la
haute muraille du jardin ne la préservait pas
sérieusement : elle ramassa tous les tessons de
bouteilles qu'elle put trouver, les distribua sur
le faîtage du mur et les fixa comme elle put avec
du mortier. Cela l'amena à se souvenir qu'il y
avait deux pièges à loup au grenier. Elle les dé-

rouilla et les tendit dans l'enclos, au-dessous des endroits par où, croyait-elle, on aurait pu sauter le moins malaisément. Le matin, elle couvrait chacun des engins d'une grande caisse.

Ayant commencé à prendre des précautions, elle ne s'arrêta plus : elle fixa des verrous supplémentaires aux portes ; si le travail avait été moins difficile, elle aurait placé des barres de fer aux fenêtres — mais il lui semblait dangereux d'appeler quelqu'un pour ce travail ; c'eût été avouer ses frayeurs. Un peu mieux gardée, elle fut beaucoup moins tranquille. Si elle avait pu se fatiguer, elle aurait endormi l'obsession dont elle était rongée, mais il n'y avait plus aucun travail de force à entreprendre ; ça n'était pas de coudre ou de repriser des bas qui pouvait arrêter les dévergondages de son esprit.

De l'autre côté de la rue, les dames Souriceau comptaient sur la solitude et l'oisiveté qui devaient peser sur Honorine pour ressouder les relations de voisinage ; néanmoins Honorine se défendait. Plus elle allait, et plus elle se faisait des réflexions qui n'étaient pas à l'avantage de Mᵐᵉ Souriceau.

Elle voyait clairement, croyait-elle, ses calculs

de mère qui cherche à caser sa fille ; elle ne se
trompait pas, mais elle les exagérait en pensant
qu'elle avait aussi d'autres vues — des vues cri-
minelles. Ce sont des idées que les inquiets se
mettent dans la tête sans bien penser à leur
vraisemblance. Car, enfin, qui donc aurait pu se
douter que de l'or sommeillait quelque part dans
la maison ? Savait-on seulement que M. Perrier
père y avait eu des réserves ? A part les men-
diants, tout le monde possédait un petit magot,
bien sûr ; pourtant on ne pouvait pas se représenter que M. Perrier, propriétaire d'une ferme,
qui réglait aussi des affaires chez le notaire,
agissait à la façon des pies, ou comme les petites
gens qui enterrent de la monnaie.

Le raisonnement aurait dû la rassurer. Ah !
bien, oui !... La nuit, au premier bruit insolite,
elle était sur le coude.

Elle prenait ombrage de tout et les amabilités
de Mme Souriceau lui semblaient masquer les
plus abominables desseins ; aussi ne se gênait-
elle pas pour rabrouer l'intrigante.

Voilà une femme qui n'avait pas eu souvent à
se louer de son prochain ! A l'entendre, on ne
répondait jamais à ses bontés. Cette philan-

thrope tenace et déçue avait été aussi une épouse
incomprise : dans son ménage, elle avait été
la maîtresse et, elle qui n'aurait jamais pu se
résoudre à obéir, s'était toujours lamentée de
commander. Son mari devait être au ciel, ayant
largement fait son purgatoire sur la terre et pas
mal d'années infernales aussi. Les voisins et, en
général ceux qui approchaient Mme Souriceau,
s'accordaient à la trouver bonne, douce, prévenante, économe, ayant de la religion, parfaite
en somme — assommante. On n'aimait pas la
fréquenter et même on manœuvrait pour l'éviter. Dans l'intimité, elle n'avait jamais de mou-
vements éclatants de colère, évidemment ; mais
sa colère était d'autant plus forte et durable
qu'elle ne s'épanchait pas. Elle avait des mots
préparés qu'elle lançait au bon moment et qui
cinglaient comme des coups de chambrière.

Adèle en aurait eu long à dire si elle avait eu
le quart de l'esprit de sa mère et la langue aussi
bien pendue qu'elle. Par bonheur, elle n'avait
pas, selon Mme Souriceau, l'épiderme sensible.
C'était un être fané, inoffensif et sans défense ;
elle était née pour être vieille fille et pour être
vouée au martyre sans grande douleur, de même

que sa mère était née pour être veuve et pour goûter les joies du bourreau.

— Tu tiens tout de ton malheureux père ! lui disait-elle exaspérée.

En effet M. Souriceau avait pâti sans gémir, avec l'apparente indifférence d'un bœuf.

— Et, tu verras ! Tu ne te marieras jamais ! ajoutait Mme Souriceau que le mutisme de sa fille rendait folle.

Adèle n'était point laide : ses traits et son maintien n'étaient pas séduisants. Elle n'avait pas de couleurs. Les coudes au corps, le geste étroit et saccadé, la tête petite, le cou maigre, les yeux ressortis, elle se serait peut-être épanouie dans le bonheur s'il s'était présenté à elle ; mais le bonheur choisit ses terrains. Celui-là ne lui avait jamais convenu, et plus le temps passait, moins il y avait de chance pour qu'il s'y posât.

Mme Souriceau, elle, avait dû avoir quelques charmes. Ses yeux étaient vifs et noirs, son front pas trop large et bien formé, le nez fin et l'ovale du visage assez joli quand aucune violence ne le déformait ; cependant la bouche était grande, les lèvres minces et les dents constamment découvertes. Elle disait que sa fille était une Souriceau !... C'en était une, par certains côtés ; elle était bien aussi une Cottinet ; toutefois, elle n'avait pas le terrible masque d'envie et d'amertume que sa mère présentait à certaines heures.

Elle avait convoité tant de choses et tant de situations ! Et, malchance ou maladresse, elle avait eu tant de déceptions ! La plus grosse, ç'avait été le départ de Patrice Perrier.

Elle s'était mis dans la tête qu'Adèle finirait bien par l'épouser et elle avait cru longtemps amener l'oiseau au trébuchet.

Patiemment, elle avait manœuvré, ne comptant point que l'affaire pourrait se faire tant que M. Perrier père vivrait. Ce vrai bourgeois ne leur était pas acquis — elle le sentait ; au surplus, il l'épouvantait et devant lui elle perdait ses moyens. Néanmoins, l'entêtement d'un homme résiste-t-il au temps ? Tandis que celui d'une femme ne se relâche jamais. Au surplus, son instinct l'avait avertie que M. Perrier ne ferait pas de vieux os. Alors, elle ne comptait pas les sacrifices qu'elle s'imposait joyeusement pour améliorer les relations qui existaient entre les

deux maisons. On ne s'était guère vus, jadis,
puisque M. Perrier ne voulait voir personne. On
se fréquentait « par Honorine », à la faveur des
petits services qu'on se rendait : Mme Souriceau
allait-elle en ville ? Elle demandait à la bonne
de M. Perrier ses commissions et, comme on ne
lui en donnait pas souvent, d'autorité elle rapportait le pain, achetait des primeurs dont elle
proposait la moitié à Honorine pour la faire profiter d'une excellente occasion. Par là-dessus,
elle qui n'était pas patiente, savait si bien es-
suyer les rebuffades ! Elle les faisait payer
aussitôt à Adèle, sans retenue, et c'était
chaque fois un cinglant : « Voilà ce que je fais
pour toi ! » sous lequel sa fille arrondissait les
épaules.

Or, Patrice était parti !... Mais il n'était pas
parti pour toujours, n'est-ce pas ? A tout bien
examiner, Mme Souriceau avait même trouvé
dans cette inexplicable résolution matière à espérer : rien ne modifie mieux les idées de quelqu'un que les voyages. Par conséquent, il fallait
profiter du désarroi d'Honorine pour s'en faire
une alliée.

C'est pendant les révolutions qu'on peut le

mieux bâtir sur les terrains qui ne nous appartiennent pas.

*
* *

Noël arriva, sans neige, avec un froid terrible.
Cette nuit-là, Honorine entendit sonner les cloches, par la cheminée, aussi fort que si l'église
avait été au-dessus de la maison. Et elle entendit aussi, dans l'atmosphère paisible et dure de
ces heures glaciales, les cloches de deux villages
qu'on ne percevait d'ordinaire que par le vent
du sud ou, certains dimanches, quand l'air et la
terre étaient au repos. La triste nuit de Noël !

Assise sur la chaise basse dont la place était
dans le coin de l'âtre, elle repensait aux messes
nocturnes de son enfance, et elle allait refaire en
imagination le long voyage qu'elle avait accompli pour en arriver où elle en était ce soir, quand
on heurta la porte.

Elle saisit les hautes pincettes, se dressa,
prête à se défendre, lorsque deux nouveaux
coups retentirent.

Une voix prononça :

— Honorine ! Êtes-vous couchée ?

— Non, je ne suis pas couchée !... Mais qui est là à pareille heure ? répondit-elle en assurant sa voix.

— C'est nous, vos voisines...

Elle remit les pincettes au landier et, sans hâte, s'en fut ouvrir.

C'étaient les dames Souriceau. Elles venaient lui demander si elle ne voudrait pas les accompagner à la messe de minuit.

— Ma foi, dit Honorine qu'on prenait à point, j'irais bien si la maison ne devait pas rester seule...

— La nôtre reste bien seule, osa répliquer Mlle Adèle.

On insista un peu, et Honorine ne se fit plus violence. Elle engagea ses voisines à s'asseoir, disposa du bois devant la bûche et monta s'habiller.

Quand elle redescendit, elle vit que Mme Souriceau et sa fille s'étaient rapprochées du feu et elle s'arrêta pour les contempler, se disant, avec un agaçant plaisir, qu'elles ne se doutaient pas de ce qu'elles avaient devant elles, sous la belle flamme du bois, à leurs pieds. Plutôt que de l'alarmer, cela la rassura. Elle n'avait pas encore

eu l'occasion de noter si fortement que son secret
était dans une bonne retraite.

Cela lui procura une telle confiance que son
jugement sur les dames Souriceau s'en trouva
moins sévère.

Quand, après l'office, elles remontèrent la
côte, elle prit part au bavardage de ses voisines.

— M. Patrice reviendra bientôt, vous verrez,
disait Mlle Adèle.

— Qu'il revienne seulement ! Je n'en demande
pas plus... Où est-il à cette heure? Et que fait-il?

— Honorine, c'est Noël sur toute la terre,
affirma Mme Souriceau. Et M. Patrice qui ne
manquait pas la messe de minuit doit en revenir comme nous, là où il est. Et il pense à
vous ; il pense à sa maison... Ah ! grands dieux,
faut-il que les hommes aient des folies en tête
pour en faire de pareilles !

— Il a bien fait ! Un homme doit voir tout ce
qu'il peut !

Mme Souriceau ne voulut pas protester.

Un peu avant d'arriver chez elles, les trois
femmes s'arrêtèrent :

— Écoutez donc ! haleta Mlle Adèle en levant
la tête.

— C'est des canards qui passent ! dit paisiblement Honorine. Qu'il fait froid ! Ils vont aux
sources.

Une fois devant leur porte, les dames Souriceau insistèrent pour qu'Honorine entrât.

Sur la table étaient dressés trois couverts.

— Vous comptiez donc sur moi ? fit Honorine
en fronçant le sourcil.

— Il n'aurait plus manqué que vous nous re-
fusiez ! s'exclama Mme Souriceau en riant.

Mais Honorine ne le prit pas aimablement et,
durant qu'elle mangeait les premières bouchées,
elle eut la mine renfrognée de ses plus mauvais
jours de solitude. Enfin, avec le petit coup de
vin et le jambon, elle redevint ce qu'elle était
jadis, prévenante et gênée comme une domestique que des maîtres ont fait asseoir à leur table.

Un peu après, quand elle se retira, elle était
tout à fait redevenue la fille, qui du temps de
M. Perrier père, traversait la rue pour rentrer à
la maison au galop après avoir porté des fines
herbes, ou des bouquets de thym, ou des poi-
reaux, ou autre chose aux dames Souriceau qui
en manquaient.

Cette nuit de Noël, en regagnant sa demeure

elle se sentit allégée de ses appréhensions. Il
était une heure ; la nuit était sans un souffle,
d'un froid uniforme, ferme et franc qui ne vous
contractait pas. Les étoiles clignaient sur une
étoffe si noire que la grande voie lactée en paraissait plus blanche.

Honorine ne regarda ni à droite, ni à gauche.
Elle gravit les deux marches du perron sans
secouer ses sabots, elle entra dans la pièce, et
elle avait si peu de méfiance qu'elle oublia de
pousser les verrous et de donner deux tours de
clef derrière elle. Elle n'y pensa qu'après s'être
débarrassée de sa douillette.

La bûche de Noël avait un épais manteau de
cendres claires.

Il faisait tiède dans la salle.

Pour la première fois, depuis si longtemps,
Honorine eut un frisson d'aise.

Elle alluma une chandelle, s'agenouilla pour
la prière, pensa tout à coup qu'elle l'avait faite
puisqu'elle revenait de la messe, et se releva.
Mais elle réfléchit que ce n'était pas bien de dis-
puter ainsi au bon Dieu ce qu'il était accoutumé
d'entendre chaque soir : elle reprit donc sa
chaise, s'agenouilla et commença le *Pater ;* ce-

pendant, comme elle avait hâte d'aller dormir, elle recouvrit le feu en continuant de prier.

Elle avait gagné sa chambre depuis quelques instants et achevait de se déshabiller quand elle perçut un bruit étrange du côté du jardin.

Elle écouta...

C'était une sorte de tumulte lointain qui, en une seconde, se rapprochait à croire qu'il se produisait dans la maison et, un peu après, se retrouvait très loin.

Sans balancer, Honorine reprit ses jupons et son caraco, jeta un fichu sur ses épaules et descendit quatre à quatre.

A la porte de la grande salle, qui donnait sur le jardin, elle écouta...

Brusquement elle comprit qu'elle venait d'entendre des battements d'ailes... C'était dans le poulailler !

Elle courut à la cheminée, décrocha la lanterne, l'alluma, saisit la grosse pelle à feu, et, posant ses sabots, elle déverrouilla silencieusement la porte du jardin. Soudain, l'ouvrant toute grande, elle bondit dehors, courut au poulailler et, à la lueur du falot, elle vit le désastre. Les victimes étaient à terre. Le criminel était

encore là. C'était un putois, qui, surpris par
la clarté, hochait la tête, le cou tendu, couché
sur un beau coq qui secouait les ailes. La bête
puante n'eut pas le temps de faire deux mouve-
ments pour se sauver : Honorine, d'un grand
coup de pelle, lui rompit l'échine.

Cinq poules et le plus vieux coq avaient été
saignés.

Après une ronde minutieuse dans le fond du
poulailler, dans les buanderies et dans le serre-
bois, lorsque Honorine fut sur le point de rentrer dans la maison, la chouette hululait déjà.
La nuit était, pourtant, loin d'être achevée,
mais le matin s'annonçait de loin. Un coq
chanta ; un autre répondit, et celui qui restait
à Honorine se réveilla pour répondre à son
tour.

Honorine suspendit le braconnier au clou qui
servait à dépouiller les lapins, et elle passa par
la souillarde pour se laver les mains. Ensuite,
ayant réfléchi, elle approcha l'escabeau de la
cheminée, décrocha le fusil et le monta dans sa
chambre.

Elle n'avait jamais pensé à prendre cette précaution !

Le lendemain elle se sentit toute ragaillardie. Cette nuit l'avait mise à l'épreuve — et les dames Souriceau qui le remarquèrent, n'en découvrirent pas la raison.

Honorine leur expliquait ce qu'elle comptait faire pour empêcher les brigands à quatre pattes de recommencer leur mauvais coup : on paverait le poulailler, on mettrait un treillage à mailles fines, on ferait faire un plafond, et elle remonterait le perchoir.

Aussitôt, elle alla commander les ouvriers. Elle revenait à peine de la ville et n'avait pas repris ses vêtements de travail quand Me Bousseron apparut, brandissant un papier :

— Des nouvelles, Honorine !

C'était une lettre de Patrice.

— Écoutez, Honorine ! Écoutez bien !...

Honorine pleurait tandis que le notaire lisait la lettre.

Patrice contait son voyage : il connaissait Madère, les Canaries ; il était aux îles du Cap Vert, où il faisait une longue escale. Il allait traverser l'Océan, était en bonne santé ; il avait gardé tous ses espoirs... Mais à une des dernières phrases du voyageur, Honorine se mit dans la

tête que son maître se trouvait dans un monde
dont on ne se déprenait plus et qu'elle ne le reverrait jamais.

La lettre était pleine de joie : elle n'éveillait
pourtant pas d'écho. Patrice parlait de la chaleur, du formidable soleil, des plantes tropicales,
des oiseaux, des nègres nus, des myriades de
poissons qui environnaient le navire comme
faisaient, autour d'une proie, les fourmis qui, au
bout du jardin, près de la charmille, étaient sor-
tis de leur mine souterraine...

Oui, toutefois, au bout du jardin, il n'y avait
pas une fourmi ! Ici, il faisait un froid noir, le
soleil était derrière une calotte de brume qui
diffusait la lumière et arrachait les ombres de
leur retraite pour les étendre uniformément sur
toutes les places ; les plantes étaient mortes, les
arbres n'avaient plus de feuilles ; en fait d'oiseaux il n'y avait que le roitelet qui maillait son
impondérable filet sur les branches tordues et
nouées de la charmille, et les bandes de corbeaux
qui, matin et soir, passaient au-dessus de la ville,
en route pour les guérets gras, ou rentrant à leurs
perchoirs de la forêt.

Ce n'était pas Patrice qui était exilé !

Me Bousseron comprit bien la pensée d'Honorine.

Il dit néanmoins :

— Il a eu raison, ma bonne ! Voilà la vraie vie ! Quand il reviendra, il sera fort ; il sera un homme énergique.

Il avait des larmes qui lui coulaient sur les joues et un pli amer était accroché à ses lèvres.

— Voyez-vous, reprit-il, si je n'étais pas si vieux, je crois que je courrais après votre maître pour l'accompagner.

Que tout était sombre autour d'eux !

Il ajouta :

— Allez donc porter cette lettre au père Lefranc. Vous lui ferez plaisir.

Elle s'y rendit à la nuit, emportant un panier de poires et d'œufs frais, et elle trouva le père Lefranc dans son fauteuil, près de la cheminée, sous la lumière d'une petite lampe.

Quand elle lui dit qu'elle avait une lettre de Patrice... Ah ! il se leva comme un jeune homme.

—Montrez-la-moi !... Vous l'avez sur vous ?... Montrez-la-moi ! Je m'en doutais !... Il y a huit jours que je l'attends !

Il la prit, mit ses besicles et parcourut les quatre grandes pages, puis il les relut posément ; et, enfin, il roula sa table ronde près de la cheminée, déploya une carte et, forçant Honorine à s'installer commodément comme lui, se frottant joyeusement les mains, il traça le long voyage qu'avait fait Patrice, la documenta sur les lieux où il avait fait escale...

— Les îles du Cap Vert !... Pensez, Honorine. Il est aux îles du Cap Vert !...

— Il y a beau temps qu'il n'y est plus, remarqua Honorine.

C'était vrai ! La lettre avait mis trois mois pour leur arriver.

Cela rabattit un peu la joie du bonhomme.

Fermant les yeux, il réfléchit :

— Il n'y est plus !... Où est-il ?...

Et, dans un sursaut de volonté, il ressaisit son évocation.

Lui, il n'avait plus, pour l'empêcher d'aller très haut, la tentation d'imiter celui qui entreprenait un tel voyage.

— Notre Patrice, Honorine, est maintenant où a débarqué le cousin Patureau. Là où il est, son jour est notre nuit et son été est notre hiver.

Mais ses jours et ses saisons ont des éclats que nous ne connaissons pas.

Il ouvrit un livre à la page marquée par le signet, et il lut un tableau où il était question d'arbres hauts de vingt-cinq toises, de feuilles de nénuphars larges de deux aunes, d'oiseaux gros comme une noisette et brillants comme des escarboucles, de papillons aussi grands que des hirondelles, d'insectes lumineux, de perroquets, de fleurs si formidables qu'elles peuvent avaler un enfant, de reptiles qui étouffent des bœufs...

— Quelle splendeur, Honorine ! N'avoir été que Patrice Perrier ici, et être, là-bas, le roi blanc qui ordonne, le voyageur qui se saoule de parfums, de couleurs, de formes dont nous n'avons aucune idée, de lumières que nous ne pouvons pas nous représenter ! Ne plus avoir de murs pour borner son espace, aller partout, extasié, et partout être chez soi ! Commercer, remuer de l'or, faire la provision de sa bourse et celle de son esprit. Et puis revenir ! Se retrouver dans son pays limité, riche de tout ce qu'on a vu et de tout ce qu'on a fait ! Avoir tellement vécu que, même ce qui ne vous a pas réussi, tout ce que vous avez tenté, garde pour vous un charme

merveilleux !... Voilà ce que fait Patrice ! Et il
reviendra ! Je vous le dis, il reviendra ! Quand?...
Ah ! je ne serai plus là... Bast ! Vous lui par-
lerez de moi, Honorine, vous lui raconterez
cette soirée où vous êtes venue m'apporter des
œufs frais, des poires et une lettre. Vous lui
direz : « Comme il s'est monté, le père Lefranc !
Il m'a fait un peu peur ! Il m'a rappelé le cousin
Patureau !... » C'est le cousin Patureau qui a
poussé le petit Patrice à devenir un homme ;
c'est lui, aussi, qui fait que, ce soir, ma vieille
poitrine se gonfle et qu'il y a, chez moi, je ne
sais quel air de là-bas. Je hume la forêt vierge,
Honorine ! Et je sens que cette nuit je vais bien
dormir, comme si, avec Patrice, j'avais couru à
cheval toute la journée !... Merci, ma bonne !
Vous m'avez fait grand bien... Il faut que je vous
embrasse !

Honorine crut positivement qu'il était devenu
fou. Néanmoins, quand elle se retrouva seule
sur le chemin de la maison, gravissant la côte,
qu'elle entendit sonner ses sabots sur le sol durci,
le sentiment confus qui lui vint, envoyé par la
nature hostile, ce fut que les autres avaient
raison — ce père Lefranc qui, cloué à la cham-

bre, savait s'en évader en racontant de si belles choses lumineuses auxquelles il croyait, et Mᵉ Bousseron qui s'était laissé aller à pleurer de regret devant elle, et le cousin Patureau qui, revenant de si loin, y était retourné sans hésiter, et Patrice qui tentait l'aventure, entraîné par lui, dans le sillage qu'on croyait effacé, et son père qui avait dit si sagement : « ... Pas si fou !... Pas si fou !... » Elle avait pensé, un jour, que de courir de tels risques sans raison, c'était un peu offenser Dieu. Or, on lui disait tout à l'heure que c'était là-bas que la nature était la plus belle... On ne se damne pas en allant voir les espaces où le bon Dieu s'est surpassé !

Sa pauvre tête était pleine de pensées trop grandioses pour elle quand elle mit sa grosse clef dans la serrure. Au bruit qu'elle fit, une porte s'ouvrit de l'autre côté de la rue.

— C'est vous, Honorine ? demanda Mᵐᵉ Souriceau.

— C'est moi, oui !

— Vous étiez donc sortie ?

— J'étais sortie !

Elle aurait pu lui apprendre qu'elle avait reçu une lettre de Patrice ? Elle s'en garda bien !

Elle n'en jugeait pas digne cette femme qui n'estimait que son existence dans ce pays étroit et qui méprisait les hommes qui couraient les grandes aventures.

Le matin du premier de l'an, elle était occupée à organiser sa basse-cour quand le père Lefranc apparut, gesticulant, emmitouflé dans une large pélerine et le cou entouré d'un cache-nez à carreaux.

— Honorine !... Ah ! venez, ma bonne ! venez !... Il y a du nouveau !... J'ai... Mais entrons chez vous !

Elle secoua son tablier, s'essuya les mains et le suivit.

— Ah ! Honorine, il faut que je vous embrasse !... J'ai reçu une caisse de Patrice !

Tout à coup, pensant au jour de fête, il lui dit :

— Je vous souhaite une bonne année ! Vous verrez, elle sera bonne !... Ah ! c'est un bon début ! Venez ! Vous m'aiderez à ouvrir la caisse. Je n'ai pu y arriver seul.

Ce fut à peine s'il lui donna le temps de prendre d'autres vêtements.

Tous les deux dévalaient la côte.

— C'est tout de même bien imprudent ce que vous avez fait là, monsieur Lefranc, à votre âge et dans votre état !

— Peuh ! fit-il, je me sens gaillard, ma bonne !

Il y avait dans la caisse des petits paniers en graines de melon, des colliers de coquillages, deux tapis, quelques armes, des fleurs séchées, une carapace de tortue, des flacons de parfum et, dans un coffret de marqueterie, une longue lettre de Patrice.

Le père Lefranc la lut tout haut, la relut, et décida de la porter à Me Bousseron dans l'après-midi.

— Vous déjeunerez avec moi, Honorine !...

Elle accepta. Voilà une révolution !

Le soir, ayant regagné la maison de Patrice Perrier, elle allait commencer la veillée quand on heurta à la porte.

C'était Mlle Souriceau.

— Bonne année, Honorine ! Figurez-vous que nous avons frappé trois fois chez vous.

Elle répliqua un peu durement :

— Bonne année à vous aussi, mademoiselle... J'étais chez M. Lefranc. J'ai fait son déjeuner.

— C'est donc cela ! fit Mlle Souriceau qui surgissait. Et votre porte était restée ouverte...

— Pour ce qu'on peut voler ici ! marmonna Honorine.

C'était ainsi qu'il fallait prendre la chose.

— Je vous souhaite une bonne année, Honorine.

— Moi de même, madame Souriceau. Et la santé !

— Mais..., dit sa visiteuse en lorgnant la desserte, qu'est-ce que vous avez là ?

— Ah ! c'est un tapis qui vient de loin, allez !

Et elle raconta tout, heureuse ! Si heureuse qu'elle était obligée à tout instant de s'interrompre pour repousser les larmes qui montaient !

— Allons ! Je vois que c'est une bonne journée pour tout le monde ! dit Mme Souriceau en soupirant de façon assez ambiguë, sans pouvoir dissimuler son triomphe. Que je vous apprenne une nouvelle !...

Sa fille était fiancée.

— ...A un jeune homme de premier ordre, sérieux, qui a une situation magnifique dans les assurances. Vous le connaissez.

Il avait cinquante ans et il portait mal son

âge. Honorine l'avait vu quand, dans le courant de juillet, il avait fait le voyage, en compagnie de sa mère, pour rendre visite à leur « parenté ». Il n'était pas beau, il était même laid ; du moins, il devait gagner cinq mille francs par an.

Chacun avait donc sa joie, mais Mme Souriceau croyait en avoir une double, celle de marier sa fille et celle de démontrer qu'on n'avait plus besoin de M. Patrice Perrier pour arracher Adèle du célibat.

« Elle se marie, pensait Honorine ; tant mieux ! On n'ennuiera plus mon maître quand il reviendra. » Aussitôt, elle se trouva disposée à être aimable, et elle le fut.

« Va, va, vieille servante ! pensait Mme Souriceau. Maintenant, tu perds ton temps ! » Pour aller jusqu'au bout de sa victoire, elle soupira et dit tristement :

— Allons ! c'est la dernière fois que j'ouvre l'année ici !... Hé, oui ! Il faut que je vous l'apprenne : en février j'irai habiter avec Adèle... probablement !...

Il y a des expressions de doute qu'on émet à la façon de certitude.

Son gendre réalisait l'économie de fondre deux maisons en une. C'était un gendre modèle, qui pensait à tout.

Au premier moment, Honorine accueillit la nouvelle sans méfiance et félicita sa voisine ; mais quand elle se retrouva seule, à la pensée que, bientôt, il n'y aurait plus qu'elle à l'extrême bout de ce faubourg, elle eut un mauvais frisson.

Le surlendemain, le petit clerc de Mᵉ Bousseron vint informer la servante que le père Lefranc la réclamait. Le pauvre bonhomme avait gagné un refroidissement à monter jusque chez Honorine. Le médecin n'était pas rassuré : il s'agissait d'une fluxion de poitrine. Il fallait quelqu'un sur qui on pût compter pour le soigner. Le père Lefranc avait pensé à Honorine. Elle accepta sans hésiter. Ne s'agissait-il pas du vieil ami de M. Patrice ?

Elle s'installa tant bien que mal dans le logis du vieux garçon, passa des nuits, mit des ventouses et des vésicatoires, fit le ménage, et chaque matin, dès l'aube, on la rencontrait qui montait à la maison de Patrice Perrier ; elle allait soigner ses poules, traire sa chèvre et mettre tout en ordre. A la sortie de la messe de huit heures, on la voyait redescendre ; et le soir, avant la tombée de la nuit, elle était encore sur la route : elle allait fermer le poulailler et la maison.

Le père Lefranc se tira du mauvais pas où son imprudence l'avait mis. Honorine l'y avait aidé.

Elle se disposait à le quitter lorsque Mᵉ Bousseron vint la voir.

— Ma bonne, lui dit-il, je vais vous proposer une combinaison. Je connais les affaires de M. Patrice Perrier et je sais qu'il souscrirait à ce que je me résous à vous exposer.

Il hésita une seconde et, s'en tenant à son premier parti, il lâcha :

— Voulez-vous prendre le père Lefranc chez vous ?... C'est lui qui m'en a touché deux mots. Vous auriez une compagnie ; vous le soigneriez, vous parleriez de votre maître... Et je sais qu'il ne vous oublierait pas.

Elle répondit sans hésiter :

— Oui, bien sûr.

Ce fut ainsi que le vieil ami de Patrice entra dans la maison de celui qu'il avait élu pour fils dans son tendre cœur de vieux célibataire.

Un matin, deux hommes y montèrent ses hardes et son mobilier qu'on installa dans la chambre de M. Perrier, le père, et Honorine put s'imaginer qu'une partie du bon temps de jadis était revenu.

Dès la première soirée, le père Lefranc la mit au courant du secret de Patrice.

— Vous en doutiez-vous ? lui demanda-t-il. Eh bien ! ma bonne, voilà pourquoi il est parti. J'aimais déjà beaucoup Patrice ; c'est son malheur qui a fait que je suis devenu son ami.

Et d'avoir parlé, cela l'engagea à mettre sa conscience de brave vieux complètement au net : aussitôt il informa Honorine des dispositions qu'il avait prises au sujet de sa fortune. Il ne fallait pas que planât le moindre nuage au-dessus d'eux.

— Pas de secret entre nous ! dit-il. Je n'ai pas balancé à vous confier ce que je savais ; ainsi nous parlerons plus aisément de Patrice...

Le bois s'était à peu près consumé dans la cheminée.

Honorine s'accroupit, dressa une bûche, posa des rondins et, trop préoccupée, ne prenait pas

garde qu'elle disposait de quoi faire rôtir un
bœuf.

— Vous voulez donc veiller longtemps, Honorine ?

Elle sursauta :

— Ma foi ! avoua-t-elle, je ne sais pas où
j'avais la tête !

Elle enleva des morceaux de bois... Non !
Elle, décidément, devait se taire ! Ce qu'elle
aurait voulu dire, à son tour, ne lui appartenait
pas et elle comprit que ce serait une mons-
truosité de se parjurer.

Demeurant accroupie, elle s'était pris la tête
dans les mains, et elle continuait de réfléchir :

— Ma bonne, dit le père Lefranc, vous l'aimez
bien, votre Patrice !...

Il ajouta au bout d'un moment :

— J'ai été injuste, allez !... Il fut un temps où
je me promettais de mourir sans regret, persuadé
d'avoir accompli mon devoir de bête et que je
n'en aurais pas été récompensé... J'offensais
notre Créateur. Maintenant, je vois bien que
je la regretterai, cette terre... Si seulement je
pouvais le revoir, lui !

— Vous le reverrez !

— Vous n'en êtes pas sûre, Honorine ! Et moi, je me doute qu'il n'aura pas le temps de revenir pour me fermer les yeux... Ah ! je n'ai plus de courage.

Honorine s'était relevée.

— Alors, demanda-t-elle rudement, qu'est-ce que je deviendrai, moi ?

— Vous l'attendrez, ma bonne !

— C'est ça !... Toute seule...

Elle le rendait responsable de si mal se défendre contre la vieillesse.

Le mois de mai amena une nouvelle lettre de Patrice. Il avait atteint l'Amérique ; de Macapa, il annonçait que l'agent de France savait à peu près où se trouvait le cousin Patureau.

« Dans deux ou trois semaines, écrivait-il, je me mettrai en route pour le rejoindre, mais vous ne devrez pas compter sur mes nouvelles avant longtemps, car mon cousin se trouve très loin, à deux mois d'ici, et le pays n'est pas sûr. La guerre est dans le Sud. Je profiterai donc d'une expédition de milice. Aussi ne faudra-t-il pas que mon silence vous inquiète. »

Sa lettre avait vingt pages sans un blanc. Il racontait ce qu'il avait fait, décrivait ce qu'il voyait et disait ses espoirs : il prévoyait ce qu'il achèterait pour exporter...

Le doux Patrice Perrier était devenu un homme qui ne devait plus perdre son temps à se poser des questions insolubles ou à rêver.

— Nous sommes devenus des enfants près de lui, fit remarquer le père Lefranc en interrompant sa lecture.

Patrice écrivait encore :

« Mon vieil ami, voyez souvent Honorine et demandez-lui de vous aider à vivre. Je me sens étreint à l'idée qu'il va s'écouler encore beaucoup de temps avant que nous nous revoyions. Je pense à vous en me levant et en me couchant, et vous êtes tous les deux dans mes prières. Écrivez-moi tous les mois. J'aurai votre première lettre dans six mois peut-être. Racontez votre existence ; même ce qui vous paraîtra vain aura pour moi une valeur que vous ne soupçonnez pas... »

Il donnait son adresse chez l'agent de France.

Or, en examinant l'adresse du pli, le père Lefranc lut :

A monsieur D. Lefranc, ou en son absence à maître Bousseron, notaire...

Et ses lèvres se plissèrent.

En son absence !... Cela signifiait que...

Il se passa les doigts sur le front.

Ah ! oui, il avait le désir de vivre, maintenant !

Et, dans ce mois de mai, il y eut encore un autre événement : les dames Jousseaume étaient au pays.

Les malheureuses, en quel état elles y revenaient !

Jousseaume s'était suicidé ; le mari de Gabrielle, qui avait organisé avec lui un assez vilain trafic, s'était enfui à l'étranger ; les deux femmes étaient à peu près sans ressources ; il leur restait ce que leur devait leur successeur au *Lion d'or* — une créance qui n'était pas facile à négocier.

Quand le père Lefranc et Honorine revirent Gabrielle, ils en reçurent comme un coup dans la poitrine.

Elle avait toujours sa beauté de madone, mais elle était comme imprégnée par l'effroi d'un lointain sinistre. Sa peau était plus claire et ses yeux avaient perdu leur limpidité lumineuse. Les cernes, qui n'étaient marqués jadis que par une teinte légère, s'étaient assombris, et le long ovale

de son visage n'avait plus sa pureté virginale.
Les lèvres avaient un pli qui les tirait par en bas.
Une cicatrice blanche partait du sourcil gauche
et montait vers le haut de la tempe. Sa cheve-
lure, qui avait naguère une couleur si chaude,
était ternie, et sa taille s'était empâtée.

Le père Lefranc lui ouvrit les bras : elle s'y
jeta, fondant en larmes.

— Si vous saviez !... Si vous saviez !

Sans cesser de lui caresser la figure, le père
Lefranc lui mit la main sur les yeux et, se tournant vers sa mère, il lui fit signe de s'éloigner.
Alors, Honorine ayant emmené Mme Jousseaume dans le jardin, il dit à Gabrielle :

— Pleurez, ma petite ! Pleurez ! Je crois bien
que je vous comprends !

Elle faisait : « Non, non ! »

— Vous ne pouvez pas savoir !... J'ai souffert... Ah ! j'ai souffert ! Je n'avais pas besoin de
parler. Tout le monde connaissait mon désastre.
J'en ai porté des traces partout... En voilà une
qui me reste, tenez ! dit-elle en dressant la tête
et montrant la cicatrice de son front. Eh bien !
les humiliations, les coups, la terreur, tout ça
n'est rien, vous entendez ! J'aurais souffert un

martyre cent fois pire si j'avais pu rattraper ce
que j'avais gâché !... Monsieur Lefranc !... Monsieur Lefranc, les mots que j'ai prononcés, il y a
treize ans, n'ont jamais quitté ma mémoire ! Je
vous ai dit qu'il se consolerait ?... Je savais qu'il
ne se consolerait pas plus que moi ! J'ai été une
misérable ! Moi, j'ai mérité d'être malheureuse...
Mais lui, lui !... Et voilà que je me retrouve dans
sa maison, là où je ne suis entrée qu'une fois, où
il aurait voulu me conduire pour toujours, où
mon orgueil m'a interdit d'accepter ce qu'on
m'offrait et ce que je désirais si fort !... Je suis
punie !... Et il a été malheureux à cause de moi,
il est parti à cause de moi !... A cause de moi,
il ne reviendra peut-être plus où il aurait dû
vivre... Je suis une misérable !... Voilà ce qu'on
n'a jamais su parce que je n'ai jamais, jamais
parlé ! Et je mérite d'être punie, et je ne mérite
pas que vous soyez doux pour moi !...

Elle parlait dans une grande exaltation. Ses
joues étaient chaudes et baignées de larmes ; ses
mains tremblaient, son corps était secoué de
durs hoquets.

Le père Lefranc ne parvenait pas à la calmer.

— Mon père ?... C'est fini pour lui ! Il est mort

des horreurs qu'on lui a fait faire ! En une seconde il a tout payé ! Ses fautes, notre malheur et mon malheur à moi... Quand il a vu que nous étions tombés si bas, vous savez ce qui est arrivé ! L'autre ?... Ah ! il continuera de vivre. Il aime bien trop ça !... Et me voilà ici, moi, avec une femme qui n'a plus de larmes pour pleurer, à laquelle je m'attache de toutes mes forces parce qu'elle a souffert à cause de moi, elle aussi, et parce qu'elle a souffert bien plus longtemps que moi, et qu'elle souffrira tant qu'elle ne verra pas ma vie se refaire... Ma vie se refaire !

Elle eut un rire bref.

Lefranc la secoua :

— Pourquoi pas ?...

Mais le rire d'incrédulité de Gabrielle recommença, devint épouvantable, comme le rire d'une démente, et s'arrêta net.

Le père Lefranc la contempla, horrifié.

Il reprit plus doucement, en se laissant aller dans son fauteuil :

— Pourquoi pas ?... Voyez cette maison vide, Gabrielle ! Vous savez, vous, pourquoi il l'a quittée. Alors, vous ne pouvez pas douter qu'il

vous aime toujours. Seulement, il n'a pas cru
que vous reviendriez jamais. Il n'a peut-être pas
cru que vous étiez heureuse...

— Oh ! fit-elle. Il aurait pu le croire ?...

Elle s'agenouilla aux pieds de son ami.

— Il aurait pu croire ça !... Quelle punition ce
serait ! Dites-moi qu'il ne l'a pas cru, ou bien il
ne m'aimait pas !... Dites, dites-le-moi ?...

— Non ! Il ne l'a pas cru.

— Il ne vous en a jamais parlé ?

— Il ne m'en a jamais parlé... S'il l'avait cru,
il n'aurait pas gardé si beau votre souvenir,
Gabrielle !... Mais nous ne savions rien de vous.
Il devait s'imaginer que vous ne seriez jamais
libérée de votre chaîne, que vous ne reviendriez
jamais...

— Et il est parti !...

— Et il est parti, répéta le père Lefranc,
anéanti.

Ses bras glissèrent. Il n'avait plus de courage
devant ce destin sombre que nul, pensait-il, ne
pourrait rattraper. Cependant, il poursuivit :

— C'est tant mieux, allez ! Parce qu'il reviendra transfiguré... Alors, il aura la force d'oublier
ce qu'il faudra, Gabrielle. Un homme qui a

touché le fond de son malheur, qui y est resté longtemps, longtemps, et qui ne change pas de route pour reconquérir son énergie... cet homme-là ne peut plus rien faire pour être heureux. C'est vrai, Gabrielle ! Croyez-moi. J'ai l'expérience pour moi... Oui ! Moi aussi !... Si j'étais parti, si j'avais fait cette folie de n'être pas raisonnable...

Elle se haussa jusqu'à lui mettre les bras autour du cou et posa la joue contre la sienne :

— Moi aussi !... Oui, mon enfant !

Elle se serra contre lui :

— Appelez-moi mon enfant. Je suis toute petite, moi qui me croyais forte !

Le père Lefranc pleurait.

— Moi aussi, je me croyais fort ! Et voyez !... Ah ! Gabrielle, il faut avoir confiance. Patrice a changé de route. Il a pris celle qu'il fallait, la plus dure, la plus longue. Il reviendra ici. Le passé, votre pauvre passé ne pourra plus le gêner... Il ira droit au beau souvenir de vous, et...

— Taisez-vous !

Elle s'était reculée, brusquement.

— Vous ne voyez donc pas ce que je suis ?...
Et vous voudriez que la femme flétrie que je suis
devienne sa...

Le rire démoniaque qui avait épouvanté le
vieux s'éleva encore.

Le père Lefranc cria, comme pour la réveiller :

— Gabrielle !

Et il la retint contre lui, tendrement, en la
berçant :

— Mon enfant ! Mon petit enfant !... Laissez-
vous aller, ne vous raidissez pas !... Il vous aime
toujours ! Et vous, dans ce bourbier dont vous
êtes sortie, vous êtes toujours demeurée la claire
jeune fille d'autrefois. Vous avez eu votre part
de souffrances, qui était lourde. La Providence
vous ramène dans ce pays que vous n'auriez pas
dû quitter. Restez-y ! Attendez-le. Le bon Dieu
nous le ramènera... Non, ça n'est pas un rêve
que je vous engage à faire ! C'est la vérité de demain que je vous annonce... Celui que vous n'es-
périez plus m'a dit en parlant de vous : « Elle
que je prenais pour ma madone... » Vous serez
sa madone. Vous lui redonnerez le goût de la
douceur. Croyez-moi. Tout ne se refait pas de ce
qui a été déchiré, mais votre amour pour lui n'a

pas été déchiré. Vous l'avez aimé ; il vous a toujours aimée...

Il l'endormait avec des mots qui portaient des pensées adorables, sa tendresse, et des espoirs dont il ne voyait pas la forme chimérique.

Mais lorsqu'elle se releva, qu'elle se fut essuyé le visage et qu'elle eut remis son chapeau de deuil sur ses bandeaux appauvris, décolorés et rayés de cheveux blancs, il ne vit que la femme qui reprenait pied, droite, prête à la résistance — croyait-il — la même qui, assise derrière la caisse du *Lion d'or*, cousant et brodant, calme, traversait l'existence sans se laisser aborder par ses laideurs.

Il était le jouet de ses souvenirs, pareil à ces pères qui, incapables de noter les zébrures que les ronces du mauvais sentier ont gravées sur le visage de leur enfant, retrouvent dans sa voix et dans ses gestes les bribes du temps où il était petit.

Elle dit en se dégageant :

— Je ne suis pas venue pour espérer. Je suis venue sans but pour moi.

Elle se prit la figure :

— Il m'aimait donc ?... Il m'aimait !

6

— Oui, il vous aimait !... Écoutez-moi, Gabrielle ! Voulez-vous accorder au vieux bonhomme que je suis la grâce d'adoucir ses derniers jours ?... Vous savez, vous, que la vie n'est pas belle ?... Faites la vôtre près de la mienne !... Non, non ! Pas ici, tout de suite. Je ne peux pas vous le demander ; je ne suis pas chez moi. En attendant, il y a de l'autre côté de la rue une maison où vous seriez très bien. Vous la connaissez. C'est celle des dames Souriceau... Ne faites pas « non » ainsi ! Nous nous verrions tous les jours ; nous parlerions de lui. Accordez-moi cela, Gabrielle ! Si je vous ai près de moi, je sens que je pourrai peut-être l'attendre. Je suis si bas, si bas ! Il faut avoir un peu de pitié pour ceux qui n'ont jamais fait de mal dans la vie, allons !...

Il l'attira contre lui :

— Embrassez-moi !... Et c'est entendu ?... Asseyez-vous. Je reviens...

Avant de sortir, il se retourna :

— Et nous lirons ses lettres !

Gabrielle regarda ces lieux qu'elle n'avait vus qu'une fois : elle croyait les avoir quittés la veille ! Elle savait la place de l'horloge, à droite de la porte du jardin, la place de l'arche et du buffet, et ce que représentaient ces deux gravures encadrées qui étaient au fond de la pièce.

En apercevant le petit bénitier de la cheminée que dominait une branche de buis, elle y trempa ses doigts et se signa. Puis, avec une ferveur fiévreuse, elle s'agenouilla, s'inclina jusqu'au sol, baisa la pierre du foyer et, se relevant, les mains jointes, elle prononça :

— Mon Dieu, qui connaissez tous mes actes, vous êtes témoin que je n'ai jamais demandé que son bonheur et que je n'espère pas qu'il m'appellera jamais à le partager !

Le mauvais destin, qui rend méchants les médiocres et meilleurs les bons, avait fait d'elle un être prompt à la prière.

Quand sa mère, Honorine et le père Lefranc rentrèrent, elle avait repris son masque.

*
* *

Mme Jousseaume et Gabrielle étaient parties pour déménager leur mobilier. Le père Lefranc avait loué pour elles la maison Souriceau. La

joie s'était glissée dans la maison de Patrice
Perrier.

— J'achète une vache ! dit Honorine, un
matin.

Le père Lefranc, qui venait de descendre au
jardin, sursauta, ne comprenant pas.

— Oui ! reprit-elle. J'achète une vache !

Il y avait assez longtemps qu'elle caressait
cette idée !

Elle expliqua sa combinaison : le lait pour
la maison ne leur coûterait plus rien ; elle en
céderait à Mme Jousseaume ; elle baratterait le
reste et vendrait son beurre et ses fromages de
chèvre.

On afferma le pré qui touchait le jardin ; on
fit ouvrir une porte de ce côté.

On achevait d'aménager l'étable dans l'une
des buanderies et la vache était achetée, lorsque
les dames Jousseaume arrivèrent avec leur mobilier.

C'était sous la charmille que, chaque après-
midi de cet été de 1865, on trouvait Gabrielle.

D'abord le père Lefranc voulut lui donner con-
naissance des lettres de Patrice.

Après la dernière, il demanda :

— Vous représentez-vous le pays ? Des arbres hauts de vingt-cinq toises, des oiseaux brillants comme des escarboucles, des fleurs formidables, des feuilles larges d'une aune...

Elle voyait !... Elle voyait Patrice ici, ce dimanche où il les avait rencontrées dans le chemin des Deux-Moulins et où il les avait priées d'entrer chez son père. Et ils ne s'étaient rien dit, que des banalités, et elle savait qu'il l'aimait déjà ; et elle l'aimait !... Que leur silence leur avait donc appris de choses !...

— ...des forêts vierges comme des cathédrales, avec des lianes qui pendent grosses comme des tours ; des lapins, des perroquets, des serpents...

...Ce jour-là elle l'avait regardé bien droit, et si, à ce moment, les yeux de Patrice s'étaient tournés vers elle, peut-être qu'il aurait surpris le mystère qui la troublait ! Il n'aurait suffi que d'un mot et, avertie aujourd'hui, elle était sûre qu'alors rien ne lui aurait coûté de l'attendre ; aucune épreuve ne l'aurait rebutée. La vie se serait ouverte devant eux, parée de joies, glorieuse, parfumée, propre, fraîche comme un pré au printemps.

— Ne pleurez pas, Gabrielle. Il n'est pas constamment en danger là-bas... Enfin, vous vous
le représentez, n'est-ce pas ?

Elle sourit en soupirant :

— Oui ! La forêt vierge, les grands serpents,
les oiseaux, les fleurs... Mais c'est ici que je l'ai
vu, lui !

Quand les lettres furent lues, tandis que la
jeune femme était à ses travaux de broderie, le
père Lefranc lisait les gazettes, commentait les
événements du Mexique, essayait de débrouiller
ce qui se passait en Prusse et au Danemark. Il
était du parti des *Cinq ;* il avait connu la république et y avait pris goût. Tout de même, il
rendait justice à l'empereur qui faisait faire des
chemins de fer et percer des routes ; mais il dé-
testait Rouher, le renégat. Il discutait, regardait de haut la politique. Il expliquait à Gabrielle qu'elle verrait le monde se transformer,
que le progrès était en marche. Il avait atteint,
enfin, une retraite heureuse !

Il écrivait à Patrice, lui parlait de leurs occu-
pations. Il était comme le chef d'une petite co-
lonie modèle.

En octobre, quand les premières bourrasques se montrèrent avec les matinées aiguës et qu'on entama la provision de bois chez les dames Jousseaume, Honorine leur proposa un arrangement : il ne lui coûterait pas plus de faire la cuisine pour quatre que de la faire pour deux.

— Qu'est-ce que c'est que ça, allons ?... Vous mangerez en compagnie de M. Lefranc. Quand il vous voit partir, il est comme moi, tenez ! Il entend la maison sonner le creux.

Honorine avait fait son compte avec son pensionnaire. Le beurre, les œufs, les poulets, les fromages auraient suffi à payer les dépenses d'une famille trois fois plus forte que la leur. Enfin, il y avait la pension de M. Lefranc.

On décida de former une caisse commune.

De mauvais jours pouvaient se présenter. Il était bon de se prémunir contre eux.

Il y en eut. L'hiver fut maussade, pluvieux, venteux. Une cheminée tomba. Le père Lefranc eut une bronchite, rechuta quinze jours après sa guérison. Le médecin vint pendant un mois presque chaque jour.

Au dire d'Honorine, cela mangea tant d'argent qu'il faudrait se priver pendant des mois

— Ma bonne, disait le père Lefranc, vous êtes bien sotte de vous tourmenter ! N'ai-je pas ma réserve ?

Mais cette ménagère ne pouvait supporter l'idée qu'on attaquât un capital. Avec elle, il n'était pourtant pas aisé d'agir autrement, car tout revenu devenait capital dès qu'il tombait entre ses mains.

Mme Jousseaume finit par partager son tourment, et ces deux femmes, dont l'une s'entendait à amasser et l'autre se trouvait incapable de gagner de l'argent, en étaient arrivées, à force de mesurer les petites catastrophes, à concevoir qu'elles étaient près de la ruine. Leurs caractères s'en ressentaient ; et puis, on n'avait plus de nouvelles de Patrice.

Déraisonnablement, tous s'étaient mis dans la tête qu'il ne tarderait pas à revenir. On l'attendait chaque jour, maintenant que le chemin de fer n'était plus qu'à douze lieues et qu'on avait le courrier assez régulièrement.

Au mois de mars de l'année suivante, une lettre d'Amérique arriva.

Patrice avait retrouvé le cousin Patureau. Hélas ! il avait les fièvres et il fallait quitter au plus tôt ces immenses prairies de l'Amazone, où l'on devenait riche si promptement mais où l'on mourait presque aussi vite sur ses richesses. Le cousin vendait donc ses élevages et liquidait ses terres ; ensuite, tous les deux se mettraient en route pour la montagne où le malade reprendrait des forces avant de regagner la patrie.

« Je ne crois pas, écrivait Patrice, que je le ramène avant qu'il ait reconstitué ce que nous sommes bien obligés d'abandonner. Tout peut s'arranger plus rapidement que je me l'imagine. Il m'a parlé de gisements d'or qui seraient à l'endroit où nous nous rendons... »

De l'or !... Oui, mais il n'était déjà plus question des arbres gigantesques, des plantes et des animaux extraordinaires. Le voyageur était devenu colon ; et le colon n'a plus de regards que pour ce qui rapporte.

Il n'avait encore reçu aucune nouvelle de France.

— Je ne le reverrai plus ! soupira le père Lefranc, anéanti.

Ce fut la dernière lettre qu'il lut de lui.

Il passa encore un bon été, mais, dès le début

de l'hiver suivant, on le vit perdre pied rapidement. C'était la fin prochaine annoncée par des étouffements auxquels succédaient des sommeils impérieux en plein jour. Le médecin se déclarait impuissant : la lampe s'éteignait. Toutefois l'intelligence restait vive et, précisément, c'était déchirant parce que le malheureux se voyait dévaler sur la descente du tombeau. Il se serait résigné si Patrice avait été là, mais l'idée qu'il ne le reverrait pas le mettait dans une grande agitation ; il s'épuisait à se raccrocher à l'existence qui le fuyait au galop. Alors, c'étaient des recommandations incessantes, à Mme Jousseaume, à Honorine, à Me Bousseron, à Gabrielle principalement ! Il voulait que tout fût bien organisé avant son départ. Tout l'était, et à la perfection, depuis longtemps : il n'en était pas encore satisfait !

Celui qui se trouvait à la limite de sa route était le clerc, dont le bureau avait toujours été en ordre parfait : le grattoir à droite, à côté de la pierre à aiguiser et du morceau de peau, les plumes d'oie rangées comme pour une revue près de l'encrier ; la sandaraque ici, les pains à cacheter là ; les pelotons de ficelle avaient lissé une place dans le coin du tiroir où il les rangeait. Et jamais un atome de poussière !

Il se serait éteint comme il avait vécu s'il n'avait eu ce tourment qui troublait ses dispositions : il pensait que lui seul pouvait convaincre Patrice de faire ce qu'il fallait pour le bonheur de sa vie ! Il l'attendait comme un fils profondément chéri. Il avait déposé pour lui, chez le notaire, une longue lettre qu'il avait jointe à son testament... Tout de même, la lettre d'un mort, ce n'est qu'un cri poussé dans le désert !... Le prêtre, qui venait souvent le voir, lui prédisait le ciel ! C'eût été la première de ses joies divines s'il avait vu surgir Patrice !

Le 1er janvier de l'année 1867, Gabrielle, qui lui apporta un pot de roses de Noël, pleura en lui offrant ses vœux.

— Mon enfant, fit-il, vous pourrez faire une couronne avec ces jolies fleurs ! Elles seront encore fraîches pour ma mort.

Et il répéta ses recommandations :

— Vous serez ma voix, n'est-ce pas, Gabrielle ? N'oubliez rien ! Je vous ai dit tant de choses !

Il lui en dit encore. Il en avait toujours de

nouvelles ! L'univers dont il n'avait aperçu
qu'un coin si étroit se révélait à lui, immense.

Le mois finissait ; les roses de Noël, si blanches, étaient devenues de larges étoiles blêmes
qui tournaient au vert de leur feuillage. La
journée avait été mauvaise et le médecin avait
écarté les bras. Le prêtre s'était retiré.

Le père Lefranc comprit que l'heure du grand
moment était près de sonner. Alors, à bout de
souffle, il pria Honorine d'aller prévenir Mme
Jousseaume et demanda qu'on disposât dans
son dos deux autres oreillers. Il voulait être
assis ; de cette façon, il pouvait voir la porte. Il
espérait encore... Il avait tant prié !

A Gabrielle, il marmonna en désignant des
yeux le bord de son lit :

— Asseyez-vous... Tenez-moi la main... Ma
petite !... Mon enfant !...

Lorsque les deux femmes entrèrent, il fit signe
à Honorine de passer dans la ruelle et lui demanda de lui prendre la main gauche.

Mme Jousseaume, qui l'avait embrassé, se mit
au pied du lit.

Il prononça :

— Écartez-vous !

Il croyait à un miracle : il voulait qu'on ne lui cachât pas la porte, et il la contemplait, confiant.

Il eut un léger mouvement de tête, semblant écouter.

C'était le bruit d'une voiture qu'il avait saisi dans le silence avant les trois femmes ; et elles tendirent l'oreille, bouleversées à l'idée que le prodige, appelé par tant de dévotion, pouvait se produire à ce moment...

Le bruit grandit ; la voiture passa sans s'arrêter...

Gabrielle, qui ne perdait pas de vue le moribond, n'avait pas remarqué qu'il s'était insensiblement soulevé sur sa couche.

Soudain, le buste qui s'était détaché des oreillers y retomba brutalement. Les regards, qui étaient fixés sur la porte, la quittèrent pour s'élever, s'élever jusqu'à entrer dans l'ombre des paupières. La bouche s'ouvrit comme pour un cri de désespoir qui ne sortit pas.

Les deux femmes sentirent que leurs doigts étaient serrés par la main qu'elles tenaient.

Le père Lefranc était mort !

*
* *

Depuis le temps qu'elles s'attendaient à la fin de leur ami, les trois femmes qui le veillaient s'imaginaient qu'elles s'y étaient préparées ; or, après l'enterrement, elles se regardèrent, pleines de terreur, et elles reconnurent que l'âme de la demeure s'était envolée. Si vieux, si faible, c'était lui qui donnait un cours à leur vie et c'était lui qui les inspirait et qui les protégeait.

On ne changea rien aux habitudes : il manqua donc partout.

Un jour, Mᵉ Bousseron vint faire la lecture du testament : son vieux clerc donnait sa fortune à Patrice Perrier, mais il lui demandait de prélever dessus dix mille francs pour Gabrielle et cinq mille pour sa mère. Les petites créances et l'argent liquide allaient à Honorine : cela se montait à sept mille francs.

Le notaire, qui s'était toujours montré dévoué aux Perrier et à ceux qui les touchaient, parut ennuyé :

— Pour vous, Honorine, l'affaire est simple. Vous disposerez du legs quand vous le voudrez... Pour ces dames, il n'en va pas de même...

Il s'expliqua : elles devraient attendre le re-

tour de Patrice pour entrer en possession de ce
qui leur revenait.

— Eh bien ! dit Honorine, elles l'attendront…
Elles n'ont pas besoin d'argent. Ne suis-je pas là ?

D'ailleurs aucune d'elles n'avait jamais compté
sur cet héritage.

Le notaire balança la tête. Il cachait son sentiment : lui, ainsi que beaucoup d'autres, ne
croyait plus au retour de Patrice.

— Enfin, conclut-il pour ne pas les alarmer,
ce qui fait du bien, c'est de vous voir si unies.
Vous méritez d'être heureuses, et le brave
homme que nous avons perdu avait bien raison
d'avoir mis sa confiance en vous.

Gabrielle, qui s'était absentée, revint avec un
petit paquet à la main.

— Monsieur, dit-elle, voilà ce que notre ami
m'a commandé de vous remettre.

C'était sa tabatière d'argent, la montre de son
père et un encrier de voyage, celui dont il se servait du temps qu'il était clerc, lorsqu'il se dé-
plaçait pour rédiger un acte.

— Il n'a oublié personne, le cher papa Lefranc !… Ah ! qu'il était bon !… Je me rappelle…
commença le notaire.

On parla de lui.

Et le lendemain, et les jours suivants, les trois femmes continuèrent de parler de lui.

— Sans lui, dit Honorine, je n'espérerais plus revoir M. Patrice ; tandis que, maintenant...

Et, insensiblement, comme le souvenir de l'absent était toujours présent à tout instant du jour, et qu'on avait à peu près répété tous ses propos, un silence de béguinage s'établit dans la maison. Mme Jousseaume cousait dans la salle à manger ; Gabrielle brodait près d'elle ou, aux beaux jours, sous la charmille ; Honorine était à ses poules, à son étable, à baratter son beurre ou à soigner les carrés du jardin. Chacune gardait pour elle ses pensées. Le matin, on se disait bonjour ; aux repas on échangeait quelques mots sur le temps, le prix des choses et les incidents ménagers ; le soir, on se quittait sur un souhait. On n'avait jamais beaucoup ri sous ce toit : on n'y souriait même plus. Et les bruits de la ville n'y parvenaient pas plus qu'autrefois. Les horloges battaient au rez-de-chaussée et au premier, se répondaient aux heures. Le dimanche, on se rendait aux offices. Parfois, Mme Jousseaume allait à la messe de six heures et Gabrielle au

salut. Les événements étaient ceux de la route :
le passage des bêtes et des carrioles aux jours de
foire ou de marché, le trot d'un cheval qui troublait le calme de la nuit. On pouvait y ajouter
encore la visite qu'on faisait au notaire pour
toucher les rentes.

L'esprit s'engourdissait, gagné par l'immobi-
lité des lèvres.

Le visage de Gabrielle prenait une étrange
beauté : calme, grave, d'une suavité mystique,
c'était celui d'une statue de sainte. Pourtant,
quelquefois, un voile plus trouble brouillait le
bleu de ses yeux, mais rien dans son attitude ne
décelait d'agitation intérieure : ses gestes ne
perdaient pas leur mesure ; elle ne soupirait pas,
n'avait pas de ces minutes d'arrêt dans sa tâche qui auraient pu faire découvrir que ses réflexions étaient plus actives. Elle était parée de
sérénité — d'une menteuse sérénité.

Trois mois après la mort du père Lefranc, on
ne reçut plus la gazette. L'abonnement avait
pris fin. L'isolement de la maison devint plus
complet.

Gabrielle avait strictement continué d'écrire
à l'exilé. Que pouvait-elle lui raconter ? Il n'y

avait rien dans leur vie, et elles ne connaissaient
rien de celle des autres. Leur cloître était hermé-
tique. Pouvait-elle lui parler de son amour ?...
Peut-on faire entendre cela par delà les mers à
un être de qui l'on ignore presque tout ? Était-il
fidèle à son ardent souvenir ? Avait-il refait sa
vie ?... Au surplus, comment la malheureuse
aurait-elle pu parler d'amour à Patrice, elle qui
ne lui avait jamais fait comprendre qu'elle l'a-
vait aimé ? Et puis, elle n'était même pas libre !...
Qu'était devenu l'homme qui était son mari ?...
Enfin, elle avait gardé une telle chasteté ! A
cause des espoirs que lui avait imposés le père
Lefranc, ce qu'elle avait dans le cœur était devenu insensiblement une bien merveilleuse féerie, riche de beaux décors et d'une douce lumière — mais la féerie ne se jouait que dans son
cœur. Et quand elle raisonnait : elle avait trente-
cinq ans ; Patrice l'avait vue pour la dernière
fois l'année de son mariage ; alors, elle en comptait dix-sept !

Depuis longtemps, elle avait épuisé dans ses
lettres les souvenirs du père Lefranc ; elle parlait de la santé de sa mère, de celle d'Honorine,
des comptes de la maison, de M\ Bousseron, du

jardin. De temps à autre, elle se laissait entraîner : elle parlait de la charmille. Que n'aurait-elle pas voulu dire ! Et elle terminait par :
« Vos fidélités vous attendent. » Il y avait tout,
pour elle, là dedans.

Fidélité !

*
* *

On était au mois de juillet.

La chaleur était torride, ce jour-là.

Honorine avait fait rentrer la vache et la
chèvre avant d'appeler Mme Jousseaume et Gabrielle pour le déjeuner.

Des gamins, qui revenaient de la rivière, jambes nues, crottés, sentant la vase et la mousse
retournée lui avaient offert des écrevisses, et
elle en avait échangé cinquante contre six œufs
de ses poules.

Les volets de la maison étaient clos du côté
de la route et on avait arrosé le carrelage de la
grande salle pour avoir un peu de fraîcheur.

Les martinets et les hirondelles planaient
haut et deux cigales chantaient dans le jardin.
Celle du poirier, qui était le plus près de la porte,

faisait un tel vacarme que l'air en vibrait dans l'escalier.

Une poule avec sa couvée de poussins s'était réfugiée sous la bassiotte du puits, cherchant le frais, et les canards, qui s'étaient traînés près du mur de la charmille, étaient couchés en file, bec ouvert et cou tendu.

C'était une journée tellement radieuse qu'on ne pouvait pas se défendre contre la gaieté qui venait de cette endiablée chanson des deux cigales.

Brusquement, toutes les cloches de l'église se mirent à sonner... Honorine se tourna vers l'horloge : il était dix heures et demie.

Le branle des cloches était si inaccoutumé que les trois femmes se regardèrent.

— C'est le feu ! dit Honorine.

Gabrielle quitta vivement la table :

— Je vais regarder par la fenêtre du grenier !

Elle n'aperçut rien d'insolite, sinon des gens qui couraient sur la route, près de la ville.

Les cloches continuaient à sonner.

— Nous sommes si loin de tout, grommela Honorine, qu'il y aurait le déluge, ce serait l'eau qui nous l'annoncerait !

Laissant là son repas, elle se posta sur la marche de la porte, du côté de la route.

Un cabriolet montait la côte, au grand galop de son cheval, et le conducteur fouaillait sa bête à toute volée, bien qu'elle fût emballée déjà.

— Ah ! ben, fit-elle. Ah ! ben, qu'est-ce qu'il y a ?

Les dames Jousseaume la rejoignirent.

La voiture approchait ; Honorine descendit les deux marches et cria :

— Qu'est-ce que c'est ?...

Et le conducteur, qui était un jeune paysan, jeta dans la seconde où il passa :

— La guerre est déclarée !

Comprirent-elles autre chose ?...

Toutes les trois suivirent le nuage de poussière au-dessus duquel on voyait bondir la capote rabattue du cabriolet et, gonflée comme un ballon, la blouse du paysan.

— La guerre est déclarée ? glapit Honorine en se retournant.

Elles rentrèrent, refermèrent la porte, et se regardèrent un moment.

— C'est terrible ! dit Gabrielle.

Elle alla vers le petit bénitier, y trempa ses

doigts, donna l'eau à sa mère qui tendit la main à Honorine ; elles se signèrent en s'agenouillant ensemble.

Quand Honorine se releva, elle marmonna :

— Voyons ! Quel jour sommes-nous donc ?

Gabrielle prit un almanach sur la cheminée ; mais c'était celui de 1869. Elle ne trouva le suivant qu'à l'instant où sa mère achevait son calcul et disait le quantième.

D'abord, elles ne surent que penser.

La guerre?... Elles ne se la représentaient pas. M. Lefranc en avait parlé si souvent : mais il avait répété que nous étions puissants et qu'on n'oserait pas attaquer ceux qui avaient vaincu l'Autriche pour remettre leurs terres aux Italiens...

La guerre !... Où se ferait-elle ?

Le pays était si calme qu'un peu de confiance leur revint.

Néanmoins, Honorine décida de courir chez Me Bousseron.

— Je vous accompagne ! dit Mme Jousseaume.

Gabrielle se joignit à elles.

Cette fois, on barricada la maison.

Bien avant la place, elles trouvèrent que la

ville était révolutionnée. Des gens couraient d'une boutique à l'autre ; quelques-uns abordèrent leur groupe pour leur annoncer la nouvelle. Le *Lion d'or* avait sorti son drapeau et la mairie hissait le sien.

La première image de la guerre était dans ce remue-ménage qui ne ressemblait pas à celui que déchaîne un sinistre. Pourtant, devant son magasin, qui était à l'angle de la place et de la rue du Grand-Bourdon, la mercière pleurait : son fils était aux armées, soldat de carrière, acheté pour sept ans.

Les cloches se turent. Aussitôt, un silence d'un tel poids plana sur la ville qu'il étouffa l'agitation.

Deux gendarmes à cheval, bicorne en tête et portant chacun une grosse sacoche bourrée, passèrent au galop ; deux autres filaient à la même allure, en sens inverse.

Le notaire n'était pas dans son cabinet. Honorine et les dames Jousseaume se demandèrent ce qu'elles feraient bien en l'attendant.

Déjà les corneilles, chassées du clocher par le tocsin, y revenaient en tournoyant, et les rues reprenaient leur physionomie.

Mme Jousseaume, qui avait besoin d'aiguilles
et de fil, entrait chez la mercière quand Honorine aperçut Me Bousseron devant la mairie.
Elle se hâta vers lui, suivie de Gabrielle, et
l'aborda en prononçant :

— C'est donc vrai ?...

— Hé ! oui, ma bonne, dit-il gravement.

— Et qu'est-ce qu'il va nous arriver ?

Il ouvrit les bras, comme devant un fait contre lequel nul ne peut rien.

— Nous sortons de chez vous, dit Honorine.

— Vous aviez besoin de moi ?

— C'était pour savoir ce que nous devions
faire.

— Ce que vous devez faire ?... Mais, rien, parbleu ! Que voudriez-vous faire, donc ?

Il les quitta. On le réclamait chez lui.

Elles rejoignirent Mme Jousseaume, et elles
regagnèrent leur maison, étonnées que la catastrophe fût si imperceptible.

— Nous devrions bien recevoir un journal !
dit Gabrielle.

— Ça ! fit Honorine, je n'y avais pas pensé !
Je vais demander qu'on nous en envoie un.
Rentrez sans moi.

Et elle rebroussa chemin aussitôt.

Voilà ! C'était la guerre !

Pendant une quinzaine, rien ne fut modifié à leur existence, sauf, cependant, dans l'emploi de leur matinée : Mme Jousseaume ne manquait plus la messe de six heures, et Gabrielle l'accompagnait. Le prix des œufs monta, celui des poulets aussi. Honorine s'en réjouit : c'était elle qui vendait.

Or, un jour, l'homme qui balayait la mairie et faisait les courses se présenta. Il apportait un papier de réquisition qu'Honorine se fit lire par Gabrielle. Le maire informait M. Patrice Perrier, ou son répondant, qu'il eût à préparer le logement de militaires en cas de besoin — bois pour cuire les aliments, paille de couchage, ainsi que l'éclairage — et que, si l'on avait des motifs valables pour s'y refuser, la réclamation devait être formulée sans délai.

Honorine courut chez le notaire.

Elle en revint démoralisée : il fallait s'incliner !

Elle n'avait pas la résignation de Mme Jousseaume, encore moins le détachement que montrait Gabrielle, et l'idée que des hommes pour-

raient habiter dans la maison de Patrice la
mettait à l'envers. Que respecteraient-ils?

Et puis, écrasée par une terreur de plus en
plus forte, elle recommença de penser sans répit
à la fortune qui dormait sous le foyer.

Par les jours les plus beaux, un nom terrible
fut prononcé : Reichshoffen !

Des bandes de galvaudeux passaient, venant
du Nord. Le pays n'était plus sûr. On signala des
étrangers en ville ; on en arrêta quelques-uns et
l'on se passa le secret : c'étaient des espions. Il y
eut des vols dans les fermes et des incendies de
paillers.

Enfin, on connut le désastre de Sedan et l'on
s'éveilla en république. On reprit espoir : une
armée nouvelle se constituait.

L'automne débutait à peine que les froids
arrivaient déjà, annonçant un méchant hiver.
Les journaux n'étaient pas consolants.

Un matin qu'après avoir soigné ses bêtes
Honorine était occupée à étendre le fumier sur
les carrés du potager, elle se redressa soudain,
planta sa fourche en terre, réfléchit quelques
secondes et, abandonnant son ouvrage, traversa
la rue et sonna chez les dames Jousseaume.

— Ça n'est pas tout ça ! dit-elle hardiment. Nous ne pouvons plus rester, vous par ici et moi par là ! Il faut que vous veniez habiter la maison ! Vous coucherez dans la chambre de M. Perrier et dans celle de M. Patrice ; de cette façon, si nous avons des hommes à loger, on les mettra chez vous.

Que n'y avait-elle pensé plus tôt !

Elle alla trouver le notaire, qui trouva la combinaison excellente : elle prévint aussi le maire à qui elle apporta des œufs et du beurre pour l'hospice, et, aidée du menuisier, elle déménagea une partie du mobilier de ses voisines.

Tout aussitôt un peu de sa confiance reparut.

Gabrielle avait son lit dans la chambre de Patrice qui était pleine des souvenirs de l'exilé. Il y avait des moments où elle croyait qu'il était présent.

On parla d'une famine possible... Honorine se mit à faire des conserves. Elle ne vendit plus rien. On se rationna ; on fit fondre du beurre, on le mit en pots ; on disposa des œufs dans des caisses qu'on remplit de cendre, on tua des oies et des canards qu'on sala.

Le matin de la première gelée, Honorine cassait la glace aux abords du puits quand le maire la fit prévenir que, le jour même, cent vingt hommes de troupe seraient cantonnés chez elle, chez les dames Jousseaume et dans les granges de Célestin Duvignaud. Pour la rassurer, on l'informa que deux gendarmes coucheraient dans la maison.

C'étaient des levées du Midi et, comme on redoutait des troubles en ville, on envoyait les compagnies de têtes chaudes dans les faubourgs.

Célestin Duvignaud fournit la paille qu'on étendit dans les trois pièces de la maison des dames Jousseaume ; on fit des lits pour les trois officiers, on disposa des couettes pour les gendarmes.

Les hommes se présentèrent.

Cela fit pitié de les voir : il y en avait qui n'étaient vêtus que de guenilles.

Le jour de leur arrivée, il n'y eut qu'à se louer d'eux. Ils étaient exténués. D'ailleurs, les officiers leur avaient interdit l'accès de la maison de Patrice Perrier ; eux y logeaient. Mais pouvait-on les empêcher de venir chercher du bois ? L'entrée de la ville leur était défendue : deux sentinelles veillaient au bas de la côte. On ne

pouvait pas, non plus, leur refuser de la graisse,
et du sel, et de l'huile, et du cidre, et quelques
bouteilles de vin. Bien entendu, il n'était pas
question de les faire payer. Le ravitaillement
manquait.

Le gendarme disait à Honorine qu'on la rembourserait.

— Ah ! faisait-elle, laissez donc ! Tant qu'il y
en aura on en donnera.

Mais le lendemain, cela tourna mal. Certains,
qui avaient aperçu du lait, en demandèrent. On
leur en donna. Alors, ils réclamèrent la vache.

— Ma vache ? glapit Honorine, rendue subitement furieuse. Ah ! ben...

Elle courut au gendarme qui se mit devant la
porte et menaça de dégainer.

Malheureusement le ravitaillement n'arrivait
toujours pas. On dépêcha le second gendarme à
la mairie. Le maire, qui ne savait plus où donner de la tête, l'envoya au *Lion d'or* où les
officiers étaient réunis et faisaient la partie. Ils
le renvoyèrent à la mairie en lui commandant,
sans bien savoir de quoi il s'agissait, de retirer
un bon de réquisition. Le maire le donna — il n'y
avait plus de provisions en ville. Et le gendarme

revint avec l'ordre de prendre la vache et de la faire abattre pour la compagnie.

Quand Honorine, qui avait le papier en mains, se l'eut fait lire par Gabrielle, elle prononça simplement :

— Non !

Et malgré Mme Jousseaume, malgré Gabrielle, elle ferma les volets, pria le gendarme de retourner à la mairie pour expliquer qu'elle ne se déferait pas de sa vache, et elle se barricada.

Dehors, il y avait une grande agitation. Les soldats criaient et chantaient ; quelques-uns qui, en passant par les champs, avaient pu se rendre en ville, avaient bu et étaient ivres. Les autres n'avaient pas mangé et cognaient sur la porte et sur les volets avec des pierres et des gourdins.

Mme Jousseaume pleurait et priait, à genoux ; Gabrielle, assise sur une chaise basse, le visage dans les mains, ne remuait pas ; Honorine, poings serrés, figure contractée, était devant le foyer, droite, décidée à tout.

Le désordre s'apaisa soudain : quelqu'un parlementait. L'accalmie ne dura pas longtemps : les cris reprirent, comme des cris de victoire, maintenant !

Honorine devint plus blême encore.

De l'extérieur, une voix commanda d'ouvrir.

— Allez-y !... Je vous adjure d'y aller ! supplia Mme Jousseaume, qui se traînait sur les genoux.

Honorine s'avança. Elle ouvrit la porte toute grande et elle regarda ces hommes en branlant la tête : c'était à eux que, la veille, elle avait donné le cidre, et le vin, et le bois, et la graisse, et le sel, et les épices, et de tout ce que la maison contenait ! Elle haussa les épaules.

Le gendarme tenta de la raisonner, mais il était aussi malaisé de se faire entendre d'elle que de se faire entendre de la horde déchaînée. Il se retourna, essaya d'apaiser les affamés : ses objurgations n'eurent pas plus d'effet que ses menaces. Alors, il entra dans la maison, et là, tandis que les coups dans la porte faisaient résonner la grande pièce, il informa Honorine qu'il fallait s'exécuter.

Elle répliqua net :

— Je refuse !

— Voyons !... fit-il. Il n'y a plus rien en ville. Les hommes n'ont pas mangé.

Elle répétait inlassablement :

— Non !... non !... non !...

— Après tout, dit-il hors de lui, c'est un ordre. Moi, je dois l'exécuter. On vous la paiera, votre vache. Voilà le bon !

Honorine le prit et le déchira.

Mme Jousseaume s'était pendue au cou de la bonne. D'un coup de coude, elle se dégagea : venant du jardin, des bruits lui étaient parvenus. Elle déverrouilla vivement la porte.

Des hommes étaient entrés par le pré ; ils avaient ouvert la buanderie. Elle en vit un qui sortait du poulailler avec des œufs dans son képi, et trois autres qui rabattaient les poules vers un angle de la charmille.

Elle empoigna ce qu'elle trouva à sa portée — un râteau — et courut à eux. Le gendarme, qui n'avait pas eu le temps de la retenir, la rejoignit, la saisit par derrière pour l'empêcher de faire un malheur. Deux grands gars vinrent à son aide.

Il la leur abandonna et, comme d'autres hommes survenaient, il jugea bon de précipiter les choses qui tournaient si mal. Il ouvrit l'étable.

Et Honorine, qu'on avait toutes les peines à dominer, qui, silencieusement, se débattait, griffait, mordait, à la façon d'une bête sauvage agrippée par le piège, s'apaisa brusquement : elle vit sortir sa vache qu'on poussait vers le pré ; elle vit passer un homme qui tenait une pioche et un autre qui dénouait une grosse corde...

Le gendarme revint à elle, l'engagea doucement à rentrer.

Elle ne l'entendit pas. Son regard était fixe, sa bouche ouverte.

— Rentrez-la ! commanda-t-il à ceux qui la maintenaient.

Il fallut la porter ; mais, tout à coup, elle se raidit si brutalement qu'elle faillit leur échapper.

Un affreux meuglement éclatait, suivi de jurons.

Quand on la déposa dans le fauteuil de la salle à manger, elle était sans mouvement. N'avait été que ses yeux demeuraient grands ouverts et roulaient, on aurait cru qu'elle était morte.

L'apoplexie la terrassait.

Gabrielle courut prévenir le gendarme ; elle lui parla si bien qu'il retourna en ville pour cher-

cher le médecin. La compagnie était occupée à
dépecer la vache ; personne ne s'aperçut qu'il
n'était plus là.

Un officier arriva enfin, et il aida les femmes à
monter la malade au premier étage.

On l'installa dans le lit de Patrice et, tout en
allumant le bois dans la cheminée, Gabrielle ne
cacha pas son sentiment sur ce qui s'était pro-
duit. Paisiblement, sans se départir de sa façon
glaciale, elle prononça des mots dangereux qu'il
eût été préférable de taire.

L'officier s'excusait mal.

— Oui, madame, oui !... Je regrette ! Seulement, voyez ! Ces hommes sont ivres et ils
n'ont pas mangé.

— Si vous vous étiez occupé d'eux, ils auraient peut-être déjeuné. Tenez !...

Elle courut à la fenêtre qui donnait sur le
jardin.

— ...Regardez-les !

Ils avaient envahi le potager ; certains arra-
chaient des choux, d'autres étaient en train de
forcer l'entrée de la cave.

— Ah ! les animaux ! grommela l'officier.

Et il descendit quatre à quatre pour les chasser. Il donna des instructions au gendarme et, comme il ne se souciait pas de coucher à deux pas de ces sauvages déchaînés, dans une maison où l'on sentait le drame, il préleva ce qu'il lui fallait dans ses bagages pour passer la nuit ailleurs, et il disparut.

Le médecin arriva, fit une saignée, mit de la moutarde aux jambes de la malade et s'engagea fermement à s'arrêter le lendemain, à la première heure.

D'une seule traite, Honorine dormit jusqu'au milieu de la nuit.

Ce fut tant mieux : elle n'entendit pas le bacchanal que mena le contingent dans les granges de Duvignaud. Pour plus de sûreté, dès qu'elle se réveilla, Gabrielle lui administra un calmant que le médecin avait apporté.

Honorine se renfonça dans le sommeil aussitôt.

Avant le petit jour, Gabrielle entendit un branle-bas dans la rue.

Elle quitta le fauteuil où elle avait veillé, tendit l'oreille : la compagnie prenait ses dispositions pour partir.

Cela la soulagea.

On frappa à la porte : les ordonnances venaient reprendre les bagages de leurs officiers.

Ensuite, il y eut un piétinement de gros souliers, parsemé du cliquetis des armes, des bidons et des casseroles — et le silence s'imposa.

Gabrielle ouvrit en grand les fenêtres du rez-de-chaussée : il n'y avait plus de soldats !

Il n'y avait que Célestin Duvignaud qui sortait de ses granges en riant :

— Ah ! bien, dit-il, ils l'ont arrangé mon fourrage !... Ça m'est égal, voilà deux jours que je l'ai vendu, marchandise à prendre dans la grange !...

Il se frotta les mains, content.

— Paraît qu'ils ont fait du dégât chez Honorine ? demanda-t-il.

Gabrielle lui répondit tranquillement :

— Non, pas trop.

Et elle ferma la fenêtre.

Sa mère descendait, pâle, défaite.

Le médecin survint. Dès qu'Honorine le vit, elle prononça, en le regardant avec de pauvres yeux :

— Ma vache !

— Ah ! dit le médecin réjoui. Je vois que ça

va mieux !... Ne vous inquiétez pas, ma bonne !
On vous la rendra, votre vache. Je vous le garantis !

Il l'ausculta, fit ses recommandations, ordonna
des calmants et se retira, assez content. Il doutait que ce fût une attaque.

A Gabrielle qui le suivait, il dit que tout allait
bien, qu'il fallait la faire dormir.

— Avec les potions, ce sera facile.

— Mais tout ce qu'ils ont fait là !...

Elle le conduisit dans le jardin saccagé, dans
le pré où une large place était piétinée, sanglante, pleine de détritus. Les cornes et la peau
de la bête y étaient encore.

— Écoutez ! commença le médecin. Je vais
passer chez le maire et chez Me Bousseron. Je
leur parlerai. Vous irez les voir après moi et
l'affaire s'arrangera...

Il se recueillit un instant, tourmenté par le
souci de sa profession :

— Je crois bien que ça n'est pas une attaque !
Enfin, ajouta-t-il, la saignée n'a toujours pas
pu lui faire de mal !

Le maire, avec qui Gabrielle conféra, consentit à l'aider. Il fut convenu qu'on chercherait

immédiatement une autre vache et que, dès le lendemain, on mettrait un jardinier dans le potager.

— Pour le reste... dame ! fit-il. Je n'ai pas d'argent à ma disposition.

Le notaire, qui n'avait pas reçu les fonds que le *Lion d'or* avait promis, offrit de prélever le nécessaire sur sa caisse. Mais là n'était pas l'important : il fallait trouver des bras pour exécuter le travail au plus tôt.

Dans le lit de Patrice, Honorine, qui semblait sommeiller, ouvrit les yeux et, fronçant les sourcils, elle se mit sur le coude.

Un moment après, elle s'étendit avec précaution et, d'une voix qui ne donnait aucun soupçon, elle articula :

— J'ai bien soif !

Mme Jousseaume jeta vivement la serviette qu'elle reprisait, vint à elle, souriante, et lui dit en rebordant le lit :

— Je descends ! La tisane est en bas.

Elle avait à peine quitté la chambre qu'Honorine s'accoudait de nouveau. Elle perçut les pas de Mme Jousseaume dans la grande salle... Aussitôt, elle se leva, se dirigea vers la porte, arriva dans le couloir, regarda par la fenêtre qui ouvrait sur le jardin, et elle demeura stupéfaite, croyant rêver !

Le jardin était bouleversé ; il n'y avait plus de choux ; la paille et les vieilles planches qui gardaient les salades de la gelée avaient été enlevées, les salades étaient arrachées. L'avant-veille, il restait du céleri ? Plus de céleri !... Au milieu d'un carré, deux hommes bêchaient, et dans l'allée Gabrielle poussait maladroitement une brouettée de fumier !...

Honorine rentra, replaça la porte comme elle l'avait trouvée, se dirigea vers une fenêtre de la rue : devant les granges de Duvignaud, des gamins se partageaient de vieux souliers, des friperies et des restes de pain.

Elle se glissa dans son lit.

— On n'entend plus rien ! dit-elle à Mme Jousseaume qui apportait la tasse de tisane. Ils sont donc partis ?

— Ce matin, ma bonne ! Ne vous faites plus de mauvais sang. Le maire a promis que nous n'aurions plus personne si jamais des troupes repassaient.

Vers le milieu de la journée, Mme Jousseaume

et sa fille se trouvant ensemble dans la chambre, Honorine prononça :

— Vous avez dû me trouver bien sotte, hier ? Ah ! que voulez-vous !...

Elle soupira en levant un peu ses deux bras allongés sur les couvertures.

— Mais, comment vous arrangez-vous, toutes les deux, pour les repas ?

Sans entendre qu'on lui recommandait de ne pas se tourmenter, elle haussa légèrement les épaules, comme si elle les plaignait — et elle les plaignait, parce qu'elle les jugeait incapables de se tirer d'affaire sans elle.

Dans la soirée, Me Bousseron vint prendre de ses nouvelles et monta près de la malade ; on ne l'accompagna pas, par déférence pour le notaire, qui peut toujours avoir quelque secret à recevoir de son client.

A la pauvre femme qui le questionnait, il raconta les déprédations que les troupes avaient commises en ville, en les exagérant, pour la consoler avec le malheur d'autrui, et il lui chuchota, avant de se retirer :

— Ah ! ma bonne, si vous saviez ce que les deux femmes que vous avez ici sont capables de faire pour vous !... Ce sont des saintes, vous entendez !

Honorine pressa la main qu'il lui avait donnée.

Il se sauvait, ne désirant pas que la servante lui parlât de sa vache, quand elle le rappela.

— Je voudrais..., commença-t-elle, un peu embarrassée. Je voudrais voir M. le curé.

Et comme le notaire s'étonnait en riant et se moquait d'elle :

— C'est possible ! fit-elle gravement. Mais je voudrais le voir tout de même. Qu'il vienne donc demain, s'il peut.

— Rien de plus aisé !...

Et Mᵉ Bousseron disparut, en promettant de faire la commission lui-même.

En bas, il répéta ce que la malade lui avait demandé, mais il jurait ses grands dieux qu'il l'avait trouvée en bon état.

De fait, elle n'était pas si malade. Sans les drogues qu'on lui administrait pour la calmer, qui l'affaiblissaient jusqu'à lui communiquer un sommeil de plomb, elle aurait certainement pu circuler.

Gabrielle s'habilla pour sortir. Elle avait hâte

LA MAISON DE PATRICE PERRIER

de connaître les dispositions qu'avait prises le maire pour payer les dégâts.

Elle le trouva disposé au mieux. Me Bousseron avait défriché le terrain.

— J'ai justement parlé tout à l'heure à l'homme qui nous a procuré la bête, lui dit le maire. Voilà ! Vous mettrez deux pistoles et la commune fera le reste avec le bon de réquisition.

— C'est que..., dit Gabrielle inquiète, le bon a été déchiré. Je n'en ai que les morceaux.

Comme le papier portait la signature de l'officier, c'était assez ennuyeux.

On prit le parti de le recoller ; le maire certifierait qu'il était intact quand on le lui avait remis.

Gabrielle versa les deux pistoles.

Le lendemain matin, la vache entrait dans l'étable. Le paysan qui la conduisait affirmait que c'était une laitière de premier ordre.

Il apparut que tout commençait à bien s'arranger et qu'on n'était pas loin d'avoir effacé les traces de la tourmente.

Le prêtre se présenta, on le conduisit près d'Honorine et on les laissa seuls.

Elle manifesta qu'elle désirait se confesser,

fit ses prières avec une grande dévotion, et s'accusa avec une application intransigeante de fautes si légères que le curé, en l'examinant à brefs petits coups d'œil, s'inquiéta de ce qu'elle n'osait lui avouer.

Lorsqu'il lui eut donné l'absolution, elle lui dit :

— Maintenant, j'ai quelque chose à vous demander, mais il ne faut pas qu'on m'entende.

Elle regarda la porte.

Pour la rassurer, le prêtre alla jeter un coup d'œil dans le couloir ; il aperçut Mme Jousseaume et sa fille qui étaient dans le potager et aidaient le jardinier. Il le dit à Honorine.

— Ah ! commença-t-elle, j'ai un grand secret sur le cœur !

Et elle lui avoua ce que Patrice avait exigé d'elle, il y aurait sept ans dans cinq mois.

— Eh bien ?...

— Eh bien, je vous supplie de me relever de mon serment !

Le prêtre eut un sursaut.

— Vous relever de votre serment ?... Pourquoi, ma bonne ? Vous n'êtes pas, Dieu merci ! à l'article de la mort... D'ailleurs, ajouta-t-il

avec fermeté, même si vous y étiez, vous avez
juré en prenant à témoin notre divin Seigneur.
Je suis son humble serviteur sur la terre et je le
trahirais si j'acceptais de rompre votre pacte...
Au surplus, je n'en ai pas le pouvoir, et aucun
homme qui porte ceci, dit-il en pinçant sa sou-
tane, n'aura d'autres paroles.

Elle voulut insister quand même.

Le prêtre lui imposa silence, se leva, et lui
reprocha son agitation :

— Votre maître que j'ai connu, que j'estime,
qui est digne de ses bons parents, a mis sa confiance en vous qu'il en jugeait digne. Comme
homme, je le trahirais aussi... Allons ! Ceci demeure entre nous et ne sortira pas de nous.
Calmez-vous, faites taire vos scrupules, conser-
vez celui qui vous empêche de rien révéler et
espérez en la divine Providence qui vous ramènera celui que vous attendez. Vous lui ren-
drez son dépôt et vous aurez votre récompense
dans l'affection qu'il continuera de vous mar-
quer.

C'était net !... Honorine se laissa retomber sur
sa couche, anéantie.

Pourtant, à quelques jours de là, quand elle

fut sur pied, qu'elle eut regagné sa chambre du second et qu'elle eut repris son activité, les doutes recommencèrent de l'assaillir avec la hantise de son secret. Elle avait beau se tuer à la tâche et s'ingénier à se trouver des motifs de tracasseries, elle ne parvenait pas à chasser ce qui la tourmentait durant ses nuits. Et puis, il n'y avait plus moyen de se fatiguer : la saison ne s'y prêtait pas. Le jardin était à son sommeil d'hiver...

Le jardin ?... Ah ! le pauvre jardin ! Guérété, sarclé à fond, c'était tout de même un désert. On achetait des légumes, alors qu'autrefois on en vendait, et de si beaux ! Honorine, cependant, jugeait qu'elle n'avait pas trop à se plaindre. Mais il y avait d'autres soucis qui exagéraient les tracas de sa conscience au lieu de l'en distraire. Les Prussiens étaient devant Paris ; les mauvaises nouvelles tombaient comme les heures d'une horloge.

Le froid était intense ; chaque fois qu'un paysan se montrait pour vendre de la volaille, ou quand le boucher revenait de la campagne, ramenant du bétail, on apprenait que les loups commettaient des déprédations.

Il n'y avait pas que les loups. La contrée était infestée de malandrins qui pillaient les maisons isolées et même qui arrêtaient les voyageurs sur les routes. On tirait dessus hardiment. La gendarmerie était sur les dents.

Cela n'était pas encore le plus grave : on signalait les Prussiens à Vierzon, à Tournon et on disait que s'ils n'avaient pas encore obliqué plus à l'ouest, c'était à cause du prince de Sagan dont la femme était Allemande.

Était-il loisible, au milieu de cette bourrasque, de retenir l'espoir qui vous soutenait si bien ? Le retour de Patrice ?... Pouvait-on toujours y croire ? Une époque neuve s'était subitement ouverte : le terrain n'étant plus celui qu'aimaient les pensées anciennes qu'avaient acclimatées les solides habitudes des familles et du pays, on commençait à modifier ses vieilles idées sans s'avouer qu'on les avait abandonnées. Il n'y avait pourtant plus à se leurrer : les rares dont on ne s'était pas encore séparé avaient tellement reculé qu'elles n'embarrassaient plus personne. Elles avaient atteint l'horizon du souvenir.

Du moins, il y avait quelqu'un qui avait

gardé vivace son espoir, et c'était Gabrielle.
Elle s'était murée dans un entêtement qui la
gardait mieux du doute que les plus menteurs
raisonnements. Elle était sûre que Patrice reviendrait ; si on l'avait questionnée, elle n'aurait pas su expliquer pourquoi.

*
* *

La triste année s'achevait avec une tempéra-
ture de Sibérie. L'herbe des prés était devenue
noire et, depuis deux mois, dans la campagne,
on faisait boire les bestiaux aux sources, ou bien
on tirait de l'eau des puits pour eux. Certains
ruisseaux étaient à sec sous leur épaisse couche
de glace.

L'année nouvelle s'annonçait plus sombre encore. Les feuilles qui arrivaient de Bordeaux
avaient beau essayer de remonter le moral du
pays, chacun se jugeait perdu. On se terrait. Les
magasins n'atteignaient plus la moitié de leur
vente ordinaire ; on offrait des marchandises à
vil prix et d'autres au double de ce qu'elles
valaient six mois avant.

Or, d'un coup, dans la maison de Patrice Perrier, on apprit deux malheurs qui sapèrent les derniers motifs de garder confiance dans l'avenir : Me Bousseron cédait son étude ; sa fille, mariée à Marseille, venait de perdre son mari ; elle avait obtenu de son père qu'il vînt habiter avec elle et ses enfants. C'était un ancien projet : le deuil subit en hâtait la réalisation. Le fils d'un commerçant de Châlons-sur-Marne, que la guerre avait refoulé jusqu'à Poitiers où il était principal clerc, s'étant présenté comme successeur, l'affaire fut traitée rondement. Me Bousseron vint faire ses adieux à la maison de Patrice Perrier ; il raffermit chez les trois femmes la probabilité du retour qu'elles escomptaient ; lui avait perdu depuis longtemps ses illusions là-dessus.

— Rien ne sera changé pour vous, leur promit-il. Mon successeur me vaut bien !

Peut-être ?... Cependant on n'aurait pas de sitôt avec l'autre les relations qu'on avait avec lui. Il fut pleuré par tout le monde. C'était un homme probe, amène, de qui l'on ne pouvait que chanter l'éloge.

Le second malheur fut plus terrible encore

pour la maison de Patrice Perrier : l'homme qui avait acheté la créance que les dames Jousseaume avaient sur le *Lion d'or* était en mauvaises affaires, ruiné par les spéculations. Il n'avait versé qu'une toute petite part des trente mille francs qu'il avait garantis, et l'hôtelier, qui se débattait déjà dans des comptes compliqués, était près de mettre les volets à la devanture !

On engagea un procès.

Honorine, sans en souffler mot à ses pensionnaires, s'en fut trouver Me Lasser, le successeur de Me Bousseron. Quand elle en revint, elle se crut guettée par les pires diableries qui sont toujours dissimulées dans les replis des lois et qui fondent sur les braves gens.

Ni les dames Jousseaume, ni elle, personne n'avait le droit de prélever un sou sur la succession de M. Lefranc. Patrice était légataire universel ; ce serait à lui de distribuer les sommes. Il fallait attendre son retour ou le faire déclarer défunt — ce qui, avant longtemps, était impossible !

La semaine suivante, Honorine retourna deux fois à l'étude, proposa des combinaisons qui firent sourire le notaire et, finalement, demanda qu'on lui préparât les pièces nécessaires pour faire son testament. Comme elle ne savait même pas signer, on lui fit faire une donation. On appela le second clerc — qui était le fils aîné de Célestin Duvignaud — on lui adjoignit trois voisins, et la pièce fut établie.

Honorine donnait tout ce qui lui appartenait ou lui reviendrait après sa mort à Mme Gabrielle Sénart, née Jousseaume et, en cas de décès de celle-ci, l'usufruit de ce qu'elle possédait à sa mère, Mme Louise Jousseaume, née Dugand — le bien-fonds allant à Patrice Perrier.

Cela ne résolvait pas la question pendante ; du moins Honorine fut un peu plus tranquille.

— Vous pouvez, si cela vous convient, proposa le notaire, céder votre jouissance de l'immeuble Perrier à ces dames.

C'était leur assurer gratuitement un abri. Elle accepta.

Ce soir-là, après le dîner, sur le ton bougon qu'elle avait repris depuis que ses préoccupations l'assaillaient, elle dit :

— Il faut que vous sachiez ce que j'ai fait aujourd'hui...

Mme Jousseaume l'embrassa en pleurant ; elle ne pensait qu'à sa fille, la malheureuse, et elle oubliait vite ses propres malheurs pour envisager ceux qui pouvaient fondre sur son enfant.

— Honorine, vous ne croyez donc plus que M. Patrice reviendra ? demanda Gabrielle.

Elle la tenait enlacée.

— Je crois qu'il reviendra, affirma-t-elle.

Gabrielle s'imagina-t-elle qu'on lui cachait quelque chose ? Elle clama :

— Il est mort !... Vous savez qu'il est mort !

Le cri, en éclatant, leur découvrit une affreuse certitude : Patrice ne reviendrait pas !

Elle ne se calma qu'en entendant Honorine faire le serment devant Dieu qu'elle ne connaissait rien de tel.

— Alors, pourquoi avez-vous pris vos dispositions aujourd'hui ?

Les regards d'Honorine portaient au loin comme si elle avait contemplé un pays immense.

— Parce que..., répondit-elle, je me sens pareille à M. Lefranc. Je ne verrai pas rentrer ici celui que nous attendons.

— Vous êtes folle !... Vous êtes folle ! Moi, je

sais qu'il va revenir ! Il est en route ! Je le vois !

Elle s'était redressée, parlait en se promenant : elle était en proie à une crise d'agitation qui était bien étrange chez elle, à l'ordinaire si pondérée.

Au bout d'un moment, on comprit « qu'elle n'était pas dans son assiette ». Sa mère essaya vainement de la calmer.

Brusquement, elle se jeta sur Honorine en pleurant. Elle ne savait plus où était la vérité.

Désormais, avec plus de soin que jamais, on évita d'évoquer Patrice. Mais les sujets manquaient pour la distraire. Les nouvelles du Nord étaient épouvantables : la guerre civile était à Paris. Dans le pays, c'étaient les gens de rien qui se préparaient ouvertement à faire la loi. Ils parlaient haut, et ceux qui mendiaient d'ordinaire réclamaient des sous, du pain, et même du vin, sur un ton sans réplique.

*
* *

Une nuit, Gabrielle se réveilla en sursaut. Elle avait cru entendre quelqu'un marcher au rez-de-chaussée.

Elle se leva silencieusement, écouta...

En effet !... Un bruit de verre brisé lui parvint.

Elle alluma sa lampe qu'elle plaça derrière la table de nuit pour en cacher l'éclat, passa rapidement son peignoir, ouvrit sa porte.

On chuchotait dans la grande salle.

Sans hésiter, elle monta prévenir Honorine.

Elle la trouva assise sur son lit, avec la lumière près d'elle.

— Ah ! bien, grommela la vieille, on va voir !

Et, aussitôt décidée, elle enfila son jupon, ouvrit le placard où elle avait rangé le fusil de Patrice, et elle s'aperçut avec terreur qu'elle n'avait pas de capsules. La boîte se trouvait dans la grande salle, sous le manteau de la cheminée !

Elles se regardèrent, épouvantées.

Mais on cambriolait en bas ! Alors, cela la remit d'aplomb. Elle fit signe à Gabrielle de prendre le tisonnier, et elles descendirent en étouffant leurs pas, Honorine la première, tenant le fusil.

Quand elle arriva sur la marche qui était à mi-chemin de l'étage elle aperçut deux hommes

qui vidaient le tiroir du buffet où elle rangeait
l'argenterie.

Elle tendit la main derrière elle, saisit le tisonnier et, le lançant sur les voleurs, elle épaula
en criant :

— Vous êtes morts !

Les garnements virent-ils les canons pointés
sur eux ? En trois enjambées ils furent à la
fenêtre et disparurent, tandis que les deux femmes appelaient au secours.

Et Mme Jousseaume apparut, hagarde.

*
* *

Le lendemain, Honorine alla porter plainte à
la gendarmerie. On avait pris une douzaine de
couverts et deux timbales d'argent.

L'enquête s'égara vers plus de dix soupçons
différents.

Comme les coups de main de ce genre se
multipliaient et qu'il ne se passait pas de journée
qu'on ne coffrât des étrangers de mauvaise mine,
le maire fit passer le tambour en ville : il engageait ses administrés à ne plus sortir durant la
nuit et à s'armer à l'intérieur des maisons.

Le résultat ne se fit pas attendre : on abattit un vieillard qui rentrait chez lui en retard, et l'on blessa un enfant qui frappait chez un voisin pour lui demander du feu.

Un soir, Honorine descendit la côte et se rendit à l'église.

C'était un samedi.

Elle se dirigea vers le confessionnal du vicaire et attendit, agenouillée sur une chaise. Son parti était pris !

Deux dames passèrent avant elle. Il en vint une autre, mais Honorine lui céda son tour. Quand elle fut certaine d'être seule, elle pénétra dans le confessionnal.

Elle commença, d'abord, par ne rien voir. Enfin, le guichet s'ouvrit.

Avant de recevoir l'absolution, elle dit :

— Mon Père, je possède un grand secret. J'ai juré sur Notre-Seigneur Jésus-Christ que je le garderai jusqu'à ce que revienne la personne qui a reçu mon serment.

Elle expliqua que, pour éviter d'emporter dans la tombe ce qu'elle avait si bien gardé depuis longtemps, elle voulait s'en décharger sur quelqu'un digne de connaître la confidence.

— De quoi s'agit-il ? questionna le jeune vicaire, inquiet.

— D'une somme d'argent.

Le prêtre respira, soulagé, sembla-t-il à Honorine. Elle crut que sa ruse avait réussi. Elle en était là !

— Et qu'attendez-vous de moi ?

Elle s'arma de courage pour répondre :

— Je voudrais que vous me releviez de mon serment.

— Vous avez promis solennellement sur le Christ ?... Alors, non !

Elle mit sa figure dans ses mains, marmonna des mots d'explication.

L'abbé, croyant qu'elle priait, lui donna l'absolution, lui infligea une pénitence ; il fut obligé de lui répéter deux fois de se retirer.

Dans la chapelle où se trouvait le confessionnal, Honorine vit bien une personne agenouillée : elle n'y prit pas garde.

Le crépuscule était si avancé qu'on s'y reconnaissait à peine dans l'église.

La nuit était venue tout à fait quand elle ouvrit la porte de sa maison.

Elle ne dîna pas. Elle s'assit près de l'âtre,

consternée, perdue dans ses pensées. Les dames Jousseaume n'osèrent pas l'interroger.

Lorsqu'elles eurent achevé leur repas, elle desservit la table, lava la vaisselle, la rangea et, reprenant sa place dans le coin de la cheminée, elle prononça :

— Il faut que je vous dise quelque chose !

Elle avait les yeux secs et un visage de rancune.

Alors, elle répéta ce qu'elle avait confessé au prêtre et elle avoua sa déconvenue avec des paroles d'une grande violence.

— Honorine, qu'est-ce que cela peut faire ?

Elle regarda en face Mme Jousseaume :

— Ça peut faire ?... Ça peut faire que si je meurs demain cette fortune sera perdue ! Voilà ce que ça peut faire !... Allons, je ne veux tromper personne : je sens que je n'en ai plus pour longtemps ! Je n'ai pas besoin du médecin pour me l'apprendre. J'y vois mieux que lui.

Gabrielle, qui se contenait depuis un moment, parvint à articuler en exagérant son calme :

— M. Patrice reviendra.

— Quand je ne serai plus de ce monde, oui !... Et s'il ne revenait pas ?

Gabrielle ne broncha pas.

— Enfin, poursuivit Honorine en tendant le cou et en se frottant la gorge comme si elle était étranglée, je ne peux plus vivre avec ça ! Quand je pense que cet argent est dans cette maison, quelque part, à une place que vous voyez tous les jours...

Elle s'interrompit et, haussant les épaules, elle continua de parler, sachant qu'elle ne se laisserait pas entraîner à lâcher ce qu'elle ne voudrait pas.

Les jours suivants, elle garda un tel silence que Mme Jousseaume s'inquiéta. Mais Honorine la rabroua.

Elle demeura sombre pendant plus de trois semaines. Elle interrompait brusquement son travail, en commençait un autre et, à chaque instant, elle avait des gestes qui trahissaient l'assaut que lui livraient tenacement des germes de vilaines résolutions. Même pendant ses prières quotidiennes, il lui arrivait d'être secouée par cette obsession. Et puis, elle eut des colères ; sa voix devint hostile et rancunière comme la voix de ceux que le destin pourchasse et qui sont sans défense contre lui.

— Tout de même, clama-t-elle un soir en tapant rageusement son sabot par terre, si je le voulais, moi ?

Elle s'était redressée.

Il y avait bien une demi-heure qu'on n'avait pas articulé un mot.

— Quoi ? demanda Mme Jousseaume.

Aussitôt, Gabrielle, paisiblement, arrêta la réponse qu'elle appréhendait :

— Tâchez donc d'oublier ce qui vous tourmente, Honorine. Vous vous tuez !

— Je n'ai pas grand'chose à faire pour ça, répliqua-t-elle méchamment.

Et elle répéta, exaspérée :

— Je vous dis que vous voyez la place tous les jours !

Cette fois, Mme Jousseaume poussa carrément son enquête ; mais, à la troisième interrogation, Honorine l'arrêta : la peur du sacrilège la tenait bien.

— Vous finirez par me persuader que vous n'espérez plus qu'il reviendra, dit Gabrielle.

La vieille secoua les épaules.

Il était impossible de se méprendre : elle avait perdu tout espoir !

Gabrielle se leva et, sans prononcer une parole, elle monta dans sa chambre.

— Voyons ! commença Mme Jousseaume. Supposons que...

Non, non ! Elle avait fait toutes les suppositions, et il n'y en avait que deux : Patrice reviendrait ou il ne reparaîtrait plus au pays. Mais le serment demeurait inattaqué, aussi puissant, aussi menaçant, et elle en était atterrée.

— Enfin, si vous me montriez l'endroit d'un coup d'œil ?... proposa Mme Jousseaume.

Or, Honorine regardait précisément le foyer.

Elle quitta son coin en prononçant durement : « Non ! », sur le ton qu'avait eu l'abbé pour lui répondre.

Elle en avait assez de ces ruses ! Elle avait fini par prendre une décision : elle ne dirait rien !

Or, la soirée n'était pas achevée qu'elle était déjà retombée dans sa perplexité.

Et, à quelques jours de là, elle fit une remarque qui la jeta dans une telle colère, qu'elle perdit toute mesure : Mme Jousseaume l'épiait !

Elle le rapporta tout chaud à Gabrielle, avec une fureur de paysanne, elle qui était si douce et qui n'avait jamais manqué à personne. Qu'espérait-on donc d'elle ?

Gabrielle la calma, mais le mauvais levain avait déjà commencé sa chimie : Honorine déclara que si jamais on apprenait que l'or était caché là, elle en rendrait responsable Mme Jousseaume.

— Vous n'avez donc plus confiance en moi ? demanda Gabrielle.

— En vous ?... Ah ! si, j'ai confiance en vous !

Elle avait placé si haut celle qui était pourtant cause du malheur de la maison !

— Seulement, votre mère...

— Ma mère pense à moi, Honorine.

— Et moi, vous croyez donc que je ne pense pas à vous ?

Mais aussi ne fallait-il pas réfléchir que si elle avait fait un serment devant le bon Dieu, elle l'avait fait en même temps devant Patrice ? Et puis, on devait la comprendre ; elle se sentait malade, elle était épouvantée de voir que tout allait mal et que, même en voulant faire le bien, on n'y réussissait pas.

— Je vous dis que je suis malade !... Ça ne va pas, là ! Ça ne va pas !...

Elle se heurtait la poitrine.

Gabrielle lui mit les bras au cou et la vieille s'abandonna. Elle avait tellement besoin de pleurer !... Si, à ce moment, Gabrielle n'avait pas refusé de l'entendre, Honorine lui aurait tout appris, sans scrupule, au risque de faire leur malheur commun en commettant cette espèce de profanation.

La veille, il y avait eu un incendie dans la campagne et l'on sut que le feu avait été mis pour effacer les traces d'un vol.

Mme Jousseaume pensa tout haut qu'il ferait bon habiter la ville.

— Ne vous gênez pas pour moi ! lança Honorine. Ah ! grands dieux !

Elles se regardèrent comme pour se provoquer, et la vieille, branlant la tête, soupira :

— Il n'avait pas pensé à ce qui nous arriverait ici, lui !

Là-dessus, on monta se coucher. Toutes les soirées étaient dans ce genre. On finissait par se détester sourdement, à la façon des vieillards dans un asile.

Gabrielle avait obtenu d'Honorine que, de

nouveau, elle vînt dormir dans la chambre de
Patrice. C'était la plus grande ; toutes les trois
pouvaient y loger aisément. Mme Jousseaume y
gagnait un peu de tranquillité, elle qui ne pouvait pas se vanter d'avoir du courage.

La chambre, de même que les deux autres
pièces qui formaient le premier étage de la maison Perrier, était assez vaste pour recevoir les
grands lits sans être encombrée. On les avait
disposés du même côté : les têtes à la cloison.
Celui de Mme Jousseaume était entre les deux
autres, celui de Gabrielle près d'une des deux
fenêtres. Honorine occupait le lit de Patrice. En
face, il y avait la cheminée, flanquée de hauts
placards. Lorsqu'elle était couchée, Gabrielle
voyait le petit fortin lumineux de la veilleuse
qui, entre les candélabres, chauffait la théière.
L'Immaculée Conception de porcelaine était à
côté ; au-dessus était accrochée l'image de la
première communion de Patrice, entourée de
daguerréos, de photographies, de souvenirs de
Lourdes et de la Salette, ainsi que deux minia-
tures ; cela aurait eu l'air d'un autel sans le
trophée d'armes, de calebasses et de boucliers
de peau, qui atteignait le plafond. Le papier du

mur était gris, parsemé de légers bouquets roses sur les lignes desquels, comme une malade, Gabrielle traçait en imagination des arabesques.

En d'autres temps, il aurait régné là une quiétude de dortoir conventuel ; mais le grand fauteuil de reps, que Mme Jousseaume roulait devant la porte avant de se mettre au lit, aurait rappelé à lui seul les soucis de l'époque et, particulièrement, ceux de la situation où se trouvait la maison de Patrice Perrier, si on les avait oubliés.

Quand Gabrielle se tournait vers la gauche, elle apercevait, derrière le lit d'Honorine, les longs canons du fusil qu'on plaçait dans le coin, tous les soirs, et qu'on remettait dans le placard, chaque matin.

Cela lui enlevait, en une seconde, la sérénité que le spectacle de la cheminée lui procurait. Devant elle, il y avait la paix familiale, mélancolique, aimable, pure, qui avait tant de quartiers qu'on pouvait la croire éternelle. A côté, il y avait la menace du présent qui emportait cette douceur ! Ensuite, les regards pouvaient retourner à la cheminée où une lumière laiteuse baignait les objets d'un si tendre passé : leur remède était sans effet. Gabrielle ressassait les chagrins, les déceptions, les phases du drame de sa malheureuse existence. Elle ne se disait point qu'elle méritait mieux ; elle accusait son ancien orgueil, incompréhensible, et elle mettait encore son cœur à la question. Comme la côte avait été longue pour arriver à l'instant des premières tristesses ! Et comme, ensuite, cela avait été rapide pour retomber si bas, rompue !

Elle en avait pour deux heures d'insomnie...

Ce soir-là, elle venait à peine de s'endormir quand un léger bruit de couvertures et de draps rejetés la réveilla.

Honorine était debout.

— Il y a quelqu'un en bas ! chuchota-t-elle.

Gabrielle, l'oreille tendue, ne percevait rien.

— On a renversé la casserole qui est restée sur le buffet ! reprit Honorine en saisissant le fusil.

Aussitôt Gabrielle se leva, se couvrit d'un manteau et la suivit.

Mme Jousseaume ne les entendit pas déplacer le fauteuil et déverrouiller la porte.

A tâtons, elles gagnèrent l'escalier.

La nuit était sombre et, cette fois, il n'y avait pas de lumière dans la grande salle.

8

Une marche craqua et, comme les deux femmes s'appuyaient du même côté, la rampe gémit.

Des couverts furent certainement déplacés à cet instant.

Elles continuèrent de descendre ; le faible rougeoiement de la bûche éclairait vaguement la grande salle.

Honorine épaula en criant :

— Voleur, tu es mort !

Et le coup éclata, formidable, dans une brusque illumination, suivi d'un grand fracas et d'une lourde chute.

Un cri partit du premier étage.

Gabrielle avança, mais, dans le noir, elle ne distingua pas ce que ses pieds avaient heurté au bas de l'escalier. Elle remonta vivement à la chambre où sa mère avait ouvert la fenêtre et clamait « au secours », d'une voix méconnaissable, au-dessus de la route déserte ; et comme elle s'apprêtait à redescendre avec la veilleuse, Mme Jousseaume s'accrocha furieusement à elle, l'adjurant de ne pas la quitter.

— Ou je t'accompagne !

Ses dents claquaient.

Gabrielle eut une feinte :

— Écoute ! Voilà Honorine !

Elle put aussitôt se dégager, ouvrit brusquement la porte : dès la première marche, elle vit la servante qui était étendue, la face sur le carrelage, au pied de l'escalier.

Elle descendit, posa la veilleuse par terre, saisit le fusil, enjamba le corps, et s'avança dans la pièce.

La fumée de la poudre y faisait un nuage.

Sur le buffet, il y avait un grand désordre de vaisselle brisée, de verres et de bouteilles.

Haletante, Gabrielle se tenait devant la cheminée quand il lui sembla qu'on remuait dans la souillarde.

Elle se raidit contre le tremblement qui l'agitait, prit une chandelle, l'alluma à la veilleuse, puis marcha droit vers le réduit. D'abord, elle constata qu'il n'y avait personne ; pourtant la lucarne qui donnait sur le jardin était ouverte.

Soudain, elle aperçut deux yeux qui luisaient dans l'ombre de la table : un chat était là.

Elle rebroussa chemin, traversa la grande salle, voulut ouvrir la porte du salon : elle était fermée à clef, comme à l'ordinaire, et la clef était dans la serrure.

Les fenêtres étaient closes, les volets n'avaient pas été forcés.

Rassurée, elle héla sa mère et prononça :

— Descends ! Ça n'est rien ! C'est un chat qui est entré par la lucarne. Mais descends vite. Honorine est tombée.

Elle déposa dans un coin le fusil dont un coup était encore prêt à tirer, s'accroupit près de la vieille bonne, tenta vainement de la retourner.

— Mais viens donc ! cria-t-elle à sa mère.

Mme Jousseaume descendit enfin.

Elles portèrent Honorine jusqu'au fauteuil et, quand elles l'y assirent, sa tête eut un ballottement, les lèvres se desserrèrent et un soupir s'en exhala.

Mme Jousseaume l'appela, lui secoua les mains.

Le buste de la vieille femme s'affaissa en avant.

Les deux femmes se regardèrent, épouvantées à l'idée qu'elle avait peut-être passé.

Gabrielle alluma la lampe et elle ordonna :

— Reste près d'elle. Je m'habille et je cours chercher le médecin.

— Je t'accompagne !

Mais Gabrielle répéta durement :

— Reste près d'elle.

Quand, une heure plus tard, le médecin arriva, le corps était déjà presque froid. Il aida les deux femmes à le monter au premier et à faire la toilette funèbre.

— Décidément, fit-il, c'était bien une attaque qu'elle avait eue au moment du passage des troupes.

Mme Jousseaume fondit en larmes, tandis que Gabrielle, agenouillée près du lit, caressait le visage de celle qui, à travers ses propos rudes et ses manières frustes de paysanne, lui avait montré la tendresse qu'il y avait au fond de son cœur.

*
* *

Il leur fallut plus de deux mois pour organiser leur train de veuves désarmées. Au bout de ce temps, tout allait déjà à vau-l'eau. Elles ne s'entendaient pas au jardinage, encore moins à soigner la vache et la chèvre.

Mme Jousseaume arrêta un homme, qui se nommait Félicien Sutte, pour traire les bêtes, faire l'étable et le gros des travaux ; quand il avait le temps, il donnait une petite façon au potager et semait ou plantait des légumes. Le soir, il revenait pour faire la seconde traite et il emportait le lait de la journée qu'il vendait en ville, car on était trop occupé et trop ignorant pour continuer à faire du beurre. Gabrielle s'était chargée du ménage et sa mère de la cuisine qu'elle faisait, d'ailleurs, en dépit du bon sens quoiqu'elle se donnât beaucoup de mal. Au moment du dîner, elle achevait à peine de faire disparaître le désordre causé par le déjeuner. Elle finit pourtant par prendre le courant. Elle s'y accoutuma comme à porter des sabots dans la maison, maladroitement.

Or, dès qu'elle eut quelques heures libres, elle se mit à faire des recherches un peu partout et, ne parvenant pas à opter pour un endroit, ayant parcouru, examiné, tâté toute la maison, elle confia son tourment à Gabrielle qui lui répondit :

— Ma pauvre maman, de quoi te mêles-tu ? Laisse donc cet argent où il est.

— Et si Patrice ne revient pas ?

Un instant, les yeux de Gabrielle eurent un regard féroce ; pourtant ses paupières s'abaissèrent et, dans un effort, elle se radoucit au point de sourire.

— Écoute, ma petite ! commença Mme Jousseaume.

Gabrielle se dirigeait vers le jardin : elle ne s'arrêta pas. Mais, un peu après, elle rejoignit sa mère.

— Ne me parle plus de cela, dit-elle. Je te laisserai faire ce que tu voudras ; moi, je ne veux pas t'aider... Pardon !

Elle l'embrassa et s'en fut sous la charmille.

A partir de ce jour, dès que Félicien Sutte était parti, Mme Jousseaume se mettait au travail. Elle sondait les murs, grattait les endroits où il y avait une couche de plâtre qui lui paraissait neuf, inspectait les solives du grenier. Armée d'un gros levier, d'un marteau et d'un ciseau à froid, elle parvint même à soulever des lames de parquet au grenier.

Elle tomba sur une ancienne cachette, et cela lui donna de l'espoir.

Elle en avait tellement besoin ! Leur procès se présentait mal pour elles, les affaires du *Lion d'or* et de son répondant étaient encore plus embrouillées qu'on ne l'avait cru — et puis

Me Lasser n'avait pas l'aménité de Me Bousseron. Il était jeune, âpre au gain; on chuchotait
qu'il faisait de la banque. Et, enfin, il s'absentait
trop souvent.

L'étude n'avait plus l'allure d'autrefois. Il y
régnait plus d'activité ; c'était aux dépens des
traditions. Outre le clerc qui remplaçait le père
Lefranc, et qu'il avait gardé, ainsi que le saute-
ruisseau, Me Lasser s'était attaché le fils aîné de
Célestin Duvignaud, un garçon dont le regard
n'était pas franc. On ne pouvait rien articuler
de précis contre lui ; néanmoins, les Duvignaud
n'étaient pas gens de bonne réputation. Le père
ne choisissait point les affaires ; toutes lui pa-
raissaient excellentes du moment qu'il y gagnait quelques sous. On était bien étonné que
Me Lasser se soit laissé embobeliner par lui et
qu'il ait accepté son fils dans l'étude.

Mme Jousseaume s'en serait bien désintéressée
si elle n'avait pas su que Célestin Duvignaud
guettait la maison Perrier. Alors, elle ne mit pas
longtemps à s'imaginer qu'elles étaient visées
par une conjuration : or, elles ne devaient compter que sur elles-mêmes pour se défendre — par
conséquent, elles étaient perdues ! Aussi, son

ardeur à retrouver le trésor dont avait parlé
Honorine s'accrut au point qu'elle ne se disait
plus : « Si je retrouvais cet argent, nous le pla-
cerions solidement, les intérêts nous feraient
vivre et, au retour de Patrice Perrier, nous lui
remettrions le capital. » Non ! Le but avait ab-
sorbé tout raisonnement. Elle voulait cet argent !

Elle fit des sondages dans le jardin. A Félicien,
elle commanda d'enlever le bois de l'ancienne
buanderie et de mettre le sol à nu, donnant pour
prétexte que des rats devaient loger là.

Les beaux jours du printemps étant arrivés
soudainement, on put donc sortir les fagots et
les rondins sans que cela semblât trop étrange.
Elle se mit à piocher le sol qui était tassé, sec et
rebelle. Elle descella un gros moellon de la
muraille ; deux autres suivirent facilement.

Comme il lui fut impossible de les replacer
sans l'aide de personne, elle rangea des bûches
qui dissimulèrent l'excavation et Félicien fit le
reste, étonné, tout de même, de constater qu'on
avait défoncé le sol.

Ensuite, elle s'en prit aux chambres, puis au
carrelage du salon.

Chaque fois, munie d'un balai, d'une pelle et d'un baquet, elle enlevait soigneusement les décombres. Il y en avait déjà un tas respectable au fond du jardin.

Elle aurait tant voulu parler de son travail à sa fille ! Mais Gabrielle avait un tel visage quand elle commençait ses confidences qu'elle était promptement arrêtée. Elle les faisait donc à Dieu, chaque matin, à la messe de six heures et, ingénument, elle le suppliait de l'inspirer.

Son obsession lui tournait l'esprit.

Une excessive nervosité se manifesta chez elle par des crises de larmes qui surgissaient sans raison et lui faisaient serrer les mâchoires. Au milieu du repas, certains jours, ou quand elle était assise devant le foyer à côté de Gabrielle, ou, encore, le soir en se couchant, elle disait brusquement en se prenant la figure :

— Je suis trop malheureuse !

Tendue constamment vers ce point unique, elle finissait par ne plus songer aux voleurs et aux assassins. Elle négligeait aussi de supputer le retour de Patrice Perrier. Pour elle, il était mort, le pauvre garçon !

Et, ainsi, elle n'avait pas noté le terrible changement qui s'était opéré chez Gabrielle. Il aurait fallu pour cela qu'elle l'examinât, qu'elle la questionnât, qu'elle s'intéressât à elle. Mais sa fille ne se plaignait pas. A la voir constamment, elle n'avait pas relevé les progrès du mal mystérieux qui rongeait son intelligence.

Gabrielle ne parlait presque plus ; elle souriait quand il aurait été naturel qu'elle demeurât grave ; elle fronçait le sourcil lorsque sa mère, dans un moment heureux, lui contait — ce qui était rare — quelque chose dont elle aurait dû se réjouir. Elle restait des heures à se promener, marchant tantôt lentement, tantôt vite, ou s'arrêtant, immobile, la tête baissée, les yeux à terre, selon le mouvement de son idée.

Le matin, elle continuait à faire le ménage, mais c'était une occupation automatique qui ne l'arrachait pas à sa contemplation intérieure.

Félicien Sutte l'apercevait maintenant dès qu'il arrivait pour soigner ses bêtes. Elle était sous la charmille ou bien au fond du potager, piquée devant un certain rosier dont de jeunes tiges se dégageaient des vieilles branches. Parfois, il la croisait, lui souhaitait le bonjour ; elle s'arrêtait, le regardait, lui rendait son salut et reprenait sa marche, exténuée. L'homme, qui avait hâte de s'éloigner d'elle, n'insistait pas.

Il publia en ville qu'elle était folle.

Elle n'était qu'en route vers la folie.

Un jour qu'il pleuvait à torrent, elle sortit quand même. Sa mère, qui la cherchait dans la maison, la trouva trempée d'eau, son ouvrage de broderie à la main. Elle la gronda comme si elle avait affaire à un enfant, la fit rentrer et lui commanda de changer de vêtements sans que Gabrielle eût un mot d'explication ou d'excuse.

Cette fois, Mme Jousseaume s'émut et, soudainement épouvantée, elle considéra sa fille.

Elle crut bien faire en prenant l'habitude de lui parler constamment pour la distraire : malheureusement, elle ne pouvait l'entretenir que de ses recherches.

— Oui, oui ! faisait Gabrielle.

Son air était égaré ; du moins, elle ne protestait plus. Et même, elle se tenait près de sa mère pendant que celle-ci faisait des fouilles, mais elle ne l'aidait pas.

Depuis une semaine, la pluie tombait sans discontinuer. La terre était noyée.

Une nuit, un grand vent commença de souffler.

Dans leur chambre, Mme Jousseaume, assise sur son lit, écoutait la tempête. Gabrielle dormait.

La pluie s'abattait sur la maison avec une rage déchaînée, à faire croire que les murs allaient fléchir. Depuis un instant, la voix de la bourrasque était devenue plus sauvage. Brusquement, il s'y mêla comme un ronflement effroyable et des éclatements.

Gabrielle se réveilla.

La veilleuse avait des affaissements et des reprises de flamme.

Mme Jousseaume priait, les doigts croisés.

Le cyclone dura peut-être cinq minutes et tout s'apaisa.

Un peu après, Gabrielle soupira profondément.

— Tu ne dors pas ? lui demanda sa mère en se levant. Je crois qu'il pleut dans le couloir.

Elle prit la veilleuse, mais, sur le point de sortir, la frayeur la paralysa.

— Écoute, mon enfant !... J'ai peur. Lève-toi. Viens voir !

Gabrielle se leva, sans manifester aucun sentiment.

Des gouttes d'eau tombaient du plafond qui était marqué d'une vaste tache.

Les deux femmes montèrent au second.

Le désastre était grand : un coin de la toiture avait perdu ses tuiles ; une mare recouvrait la moitié du plancher.

La nuit se passa à étancher l'eau.

— Mon Dieu ! disait en soupirant Mme Jousseaume, que vont coûter ces réparations !

Le lendemain matin, Félicien Sutte, qui avait raconté combien la ville avait souffert et qui avait vu les dégâts dans le grenier et dans l'ancienne chambre d'Honorine, rentra du potager en criant :

— Ah ! ben, c'est le reste ! Ah ! ben...

Mme Jousseaume le suivit.

La buanderie, minée déjà par les travaux pour la recherche du trésor, s'était effondrée. Un pan du grand mur avait suivi.

Il fallut aller chez le notaire. Il versa de l'argent sans trop se faire prier, contre son habitude, et le fils Duvignaud se chargea d'appeler les couvreurs et le maçon au plus tôt ; mais il ne cacha pas que les réparations coûteraient cher. Le pays, en effet, avait été sérieusement touché ;

il n'était pas commode d'avoir des ouvriers et c'étaient eux qui dictaient leurs volontés.

Lorsque Mme Jousseaume rentra chez elle et qu'elle vit les monceaux de tuiles que Félicien avait amassés des deux côtés de la maison, elle fut prise d'un tel accablement qu'elle s'assit et pleura en disant à Gabrielle :

— Mon enfant, nous sommes ruinées !

— Nous sommes ruinées, répéta paisiblement Gabrielle. Nous sommes ruinées...

Elle pleura, elle aussi, mais ses larmes coulaient sans que son visage marquât le moindre désespoir.

Le coup fut rude, d'autant plus que les ouvriers abusèrent de la situation de ces femmes sans défense. A défaut de probité, d'autres qu'eux auraient eu plus de cœur. On aurait cru qu'ils avaient été choisis pour ruiner ces clientes. Ils présentèrent un compte qui fit pâlir Mme Jousseaume. Elle n'obtint même pas de délais, et le ton dont ils les lui refusèrent en dit plus long que leurs propos.

Mme Jousseaume dut encore faire appel au notaire. Il énuméra les sommes qu'il lui avait déjà avancées, celles qu'il avait sorties pour faire face aux réparations de la ferme de M. Perrier qui, elle aussi, avait été touchée.

— Enfin, le fermier a bien versé ce qu'il devait à Honorine ? interrogea Mme Jousseaume.

— Une partie seulement, et il me demande d'attendre pour le reste. A ce propos...

Il se recueillit et, tripotant le dossier, il annonça, très contrarié en apparence, mais inflexiblement :

— Vous ne pouvez pas compter sur les fermages à venir. Vous n'avez pas de délégation pour les recevoir.

Au geste d'étonnement de sa cliente, il la cloua avec des articles de loi et conclut :

— Tout cela, je le conçois, est fort désagréable. C'est que vous êtes dans une situation si fausse ! A la place de Me Bousseron, je me serais attaché à l'éclaircir. Malheureusement, rien n'a été fait et force m'est de m'en tenir à mon devoir.

Son devoir, c'était probablement de tout refuser : les fermages parce qu'il n'y avait pas de délégation, l'argent du legs d'Honorine pour garantir les frais du procès, l'argent du legs Lefranc parce qu'il fallait que M. Patrice Perrier

fût là, étant légataire universel. Quant à trouver un prêteur pour endosser ces garanties...

— Elles sont trop problématiques, affirma-t-il
sèchement.

Il consentit à avancer deux cents francs en
cas de besoin, « à ses risques et périls ».

Mme Jousseaume accepta humblement. Elle
était démoralisée.

— Je vous proposerais bien un arrangement,
dit-il.

Elle se tendit dans un espoir.

— Si vous vouliez louer la maison que vous
habitez, je pourrais peut-être vous trouver quelqu'un ?... Dame ! c'est à voir !... Vous en tireriez
un bon profit ; cela vous aiderait sérieusement.
Je sais bien qu'il faudrait vous loger quelque
part... En somme, vous n'avez pas besoin de
locaux si vastes. C'est une caserne, cette maison
Perrier ! Elle vous a déjà causé pas mal de désa-
gréments. Elle vous en causera encore. Le jardin
à entretenir, les bêtes à soigner, les réparations...

Il s'abstenait de parler du lait, des œufs et
des légumes, qui étaient des bénéfices.

— Vous êtes dans votre droit, ajouta-t-il en
frappant du plat de la main sur les papiers.

Sa cliente, qui voyait depuis un instant tant de « droits » se tourner contre elle, retint celui-ci qui la servait enfin.

— Et puis, j'y songe ! reprit le notaire. Vous avez toujours la ressource de vous mettre dans l'immeuble Souriceau... Elle est gentille, cette petite maison ! Réfléchissez-y... Ah ! je sais bien qu'il faudrait trouver un locataire pour l'immeuble Perrier !... Enfin, c'est à voir ! C'est à voir !

Mme Jousseaume se retira sans avoir dit oui ou non. Elle était un peu réconfortée. Elle s'imaginait qu'elle allait traiter une bonne affaire.

Mais le lendemain, l'idée qu'elles devraient peut-être abandonner cette maison où dormait la fortune dont Honorine avait la garde lui fit reprendre plus fiévreusement ses recherches. Elle recommença de piocher dans le jardin, de retourner les grosses pierres, de soulever des lames de parquet. Le soir, exténuée, déçue, elle serrait les poings et pleurait de rage ; mais elle reprenait sa tâche dès le jour suivant avec plus de fièvre. L'été était là, et elle travaillait jusqu'à ce que le crépuscule finissant lui interdît de prolonger sa besogne.

Un jour, elle crut avoir trouvé : elle n'avait pas pensé à la souillarde où il y avait des dalles énormes ! Mais il aurait fallu qu'on l'aidât.

Elle pria Félicien d'apporter un pic de maçon.

La besogne était trop au-dessus de ses forces ; il lui sembla que son dernier espoir s'enfuyait. Toutefois, avant de l'abandonner, elle voulut s'assurer qu'elle ne laissait pas dans cet endroit humide sa dernière chance.

Elle jeta des seaux d'eau, frotta les pierres à la brosse, les mit blanches comme si, pendant un siècle, nul ne les avait piétinées, et, à genoux, minutieusement, elle examina les joints. Aucun d'eux ne portait trace d'instrument.

Elle se releva, en proie à un grand accès de colère contre cette Honorine qui n'avait pas voulu parler — ou qui s'était moquée d'elles — et, apercevant sa fille qui se promenait dans l'allée du potager, elle courut l'embrasser, la caressa, lui tint la tête contre sa poitrine. Elle disait :

— Mon enfant ! Ma fille chérie ! Ma petite !... Mon Dieu, je vous supplie de me garder à elle pour la protéger !

Elle se livra bien encore à quelques recherches ; surtout, elle s'abîma dans la prière.

La vache fit une maladie ; on dut s'en débarrasser.

Le notaire versa les deux cents francs qu'il avait proposés : il tenait sa parole.

Il annonça aussi, tout joyeux, qu'il **avait** trouvé un locataire : c'était Célestin Duvignaud.

— Profitez donc de l'occasion ! Vous n'en trouverez pas toujours une pareille.

Il proposait cinq cents francs pour l'immeuble et pour le potager, et il prenait aussi la location du pré voisin.

D'autre part, on offrait la maison Souriceau pour cent cinquante francs.

— On vous paiera le déménagement.

— Mais les meubles de M. Perrier ?

— On les rangera dans une chambre du second et au grenier.

Pourtant, elle refusa : elles avaient leurs habitudes et leurs souvenirs ; c'étaient leur dernière richesse.

— Et puis, lâcha-t-elle, que deviendrait ma fille, elle qui ne sort plus du jardin et de la charmille ?...

Le notaire écarta les bras, impuissant.

— A moins, risqua-t-il, que je n'obtienne de Duvignaud l'autorisation de laisser votre fille continuer ses promenades où elle les fait...

Il était improbable qu'il acceptât cette clause ; chacun aime être chez soi.

— Enfin, je lui en parlerai, promit le notaire.

Le lendemain, lui-même amena Duvignaud chez Mme Jousseaume. Les difficultés étaient aplanies ; Duvignaud se montra même très brave homme.

Mme Jousseaume n'avait pas encore dit son mot que déjà les deux hommes s'étaient assis et préparaient leurs papiers.

— Au moins, vous ne serez plus sans voisins ! Ça n'est pas prudent d'habiter seules ainsi, au bout du monde !

— Je vous permettrai aussi, pendant quelque temps, de laisser vos poules chez moi, allons ! lança Duvignaud.

Elle voulut refuser, mais oscillante, la tête perdue, se voyant guettée par le prochain hiver et ses bourrasques, les cambrioleurs, les créanciers, elle prit la plume et signa.

Deux jours plus tard, on installait de nouveau leur mobilier dans les trois pièces d'où on l'avait sorti dix-huit mois auparavant.

Le désastre était consommé.

Pendant quelques semaines, Mme Jousseaume fit la navette entre les deux maisons pour soigner ses poules et lever les œufs. Mais tout a une fin : on lui fit comprendre que cela ne pouvait pas durer plus longtemps.

Elle essaya d'acclimater ses poules dans la courette de leur pauvre domicile. Pourtant, il fallait bien les faire sortir pour qu'elles pondent. On les lâchait sur la route ; aussitôt, l'une d'elles retournait dans le pré, puis dans le potager — les autres n'étaient pas longues à l'imiter.

Célestin Duvignaud se fâcha, et il en profita pour signifier qu'il ne voulait plus voir traîner dans son jardin la malheureuse femme qui n'avait plus sa raison.

Alors, Mme Jousseaume se défit de ses poules. Elle installa un banc sur le devant de la maison. C'était là que, durant les bonnes heures, elle et sa fille passaient leurs après-midi, la mère à coudre et à broder, Gabrielle à poursuivre en silence ses fantasmagories.

Devant elles, il y avait le grand immeuble de

Patrice Perrier, où dormait une fortune ; et, derrière elles, leur petite maison à trois pièces.

En ville, on l'appelait la maison des folles.

Il y a des braves gens dans le monde, mais les canailles et les inconséquents sont plus nombreux qu'eux.

Un hiver passa, sombre, terne, long ; et, presque sans la transition des pluies, des belles heures jeunes et brèves et des petites gelées du printemps, l'été se montra.

Or, un matin que Mme Jousseaume était assise sur le banc, près de Gabrielle, voilà qu'apparut un domestique de Duvignaud.

— Ah ! ben, fit-il tout bouleversé, le patron a gagné sa journée !... Figurez-vous qu'il a trouvé un coffre plein d'or dans la salle à manger, sous la grande pierre de la cheminée !...

D'abord Mme Jousseaume ne broncha pas. Elle avait la main en abat-jour au-dessus des yeux pour se garantir du soleil. Doucement, elle leva le bras, le tendit en avant comme pour saisir quelque chose. Le geste entraîna le corps qui bascula, et elle tomba, le visage par terre.

Le domestique appela, on accourut, on la

porta dans sa chambre et, en attendant le médecin, on tenta de la ranimer avec du vinaigre. Elle était bien morte !

On l'enterra promptement, dès le lendemain, à cause de sa fille que, dans cet état, on ne pouvait pas abandonner, seule, pour la veillée funèbre.

Jusqu'au cimetière, une sœur de l'hospice accompagna Gabrielle qui ne cessa de sourire sans prononcer une parole.

Elle qui l'avait tellement chérie, cette maman !

Ensuite, on la ramena chez elle, et comme on remarqua qu'elle ne faisait pas d'extravagances, qu'elle quittait sagement ses vêtements de cérémonie, qu'elle les rangeait avec soin et qu'elle s'habillait décemment avec ceux qui lui servaient tous les jours, on jugea bon de la laisser chez elle, quitte à la surveiller discrètement au besoin.

On revint la voir le surlendemain, et si l'on constata que la maison était en ordre et d'une remarquable propreté, on fut bien obligé de s'apercevoir que Gabrielle n'avait pas mangé.

Le notaire s'inquiéta, parla au maire.

On la fit entrer à l'hospice et l'on plaça son mobilier dans une grange.

Ainsi, Célestin Duvignaud pouvait vivre tranquille : désormais, la maison de Patrice Perrier lui appartenait à peu près.

TROISIÈME PARTIE

Dans la première salle de l'étude, celle qu'on appelait le bureau, il y avait le saute-ruisseau qui, assis à la table du fond, confectionnait des lacets à alouettes. Un joli fagot de bâtonnets était devant lui, ainsi que des crins de cheval bien alignés. Mouillant ses doigts de salive, il tordait le crin, le nouait, ouvrait la boucle, faisait le nœud coulant, en éprouvait la solidité, le passait dans le support de sa réserve. Tout cela était fait en un tournemain, sans hésitation, avec la souplesse d'un artisan si rompu au travail qu'il peut le faire en dormant.

Le froid avait pris ; les bandes d'alouettes allaient arriver sur les plateaux. Il n'était donc que temps pour chacun d'organiser sa chasse.

A l'autre table, le vieux clerc, qui avait remplacé le père Lefranc, copiait un acte en belle anglaise.

Il remonta la visière de carton qu'il disposait sur son front, essuya ses lunettes et, se rejetant

en arrière, le dos à sa chaise, commanda doucement :

— Constant, mets du bois dans le poêle.

Le petit acheva un lacet, exécuta l'ordre et
reprit vite son travail.

Une voix appela le gamin dans le cabinet du
notaire dont la porte était grande ouverte :

— Constant !... Mets du bois dans la cheminée.

Et, tandis que le petit se relevait, la voix reprit, impérieuse :

— Simon !

— Quoi ?

— Avez-vous pensé aux billets Papillaud ?

— Oui, répondit le vieux clerc. Mais l'é-
chéance a été remise.

— Pas pour tous !

— Pour deux.

— Pour un !

— Je vous dis pour deux !... Mêlez-vous donc
de ce qui vous regarde.

Et le vieux clerc se pencha sur sa besogne,
replaça ses lunettes, replaça son abat-jour sur
ses yeux et écrivit avec plus d'application, tête
inclinée à droite, tête inclinée à gauche.

Un instant après, il chercha vainement quelque chose sur sa table et dans ses tiroirs.

— C'est toi qui as pris mon grattoir ? demanda-t-il au saute-ruisseau, en le regardant par-dessus ses besicles.

— Non.

Alors, le vieux clerc se redressa d'un coup sec et il cria presque, penché vers la porte :

— C'est vous qui avez pris mon grattoir ?

Aucune réponse ne lui parvint.

Il passa dans le cabinet du notaire et, par habitude, s'arrêta sur le seuil. Mais aussitôt il lança :

— Vous pourriez me répondre quand je vous parle, tout de même !

Bien calé dans le fauteuil-ministre du maître, le dos au feu, un garçon jeune, robuste, qui n'avait pas l'air de se préoccuper de ce qu'on cherchait, fumait paisiblement une cigarette.

Cela mit hors de lui le bonhomme :

— Je vous ai demandé mon grattoir !... Le voilà !

Et il grommela en le prenant sur le bureau :

— Vous vous en êtes encore servi pour vous faire les ongles, grand feignant !

L'autre ne protesta même pas, et le vieux se retira, rageur.

Il s'était remis au travail, et le saute-ruisseau en était à son deux millième lacet, lorsqu'un monsieur ouvrit sans frapper la porte du couloir et prononça :

— Maître Lasser !

Le clerc fit vivement sauter l'abat-jour de son front, et demanda :

— Vous voudriez parler à lui-même ?

— A lui-même !

— Me Lasser est absent... Je ne sais pas quand il reviendra.

Comme le visiteur insistait pour être fixé, le vieux questionna à la cantonade :

— Duvignaud, savez-vous quand revient monsieur ?

— Ah ! pas avant huit jours, répondit celui qui occupait son fauteuil et qui venait d'apparaître.

Le visiteur hésita, caressant la pomme de sa grosse canne et se passant la main dans la barbe. Il était solide, bronzé, et il avait une allure décidée, qui n'engageait pas à discuter avec lui.

— Bon ! dit-il. Je reviendrai.

Il était dans le couloir et atteignait la rue, qu'on lui offrait encore d'écrire au notaire, s'il le désirait.

— Qu'est-ce que c'est que cet individu ?

— Peuh ! fit le jeune Duvignaud en regagnant sa place de rêverie. Je ne le connais pas !

— Ça m'étonne.

— Qu'est-ce qui vous étonne ?

— Que vous ne le connaissiez pas, parce qu'il a eu l'air de vous connaître.

— Oui ! dit le petit. Et il s'est retourné quand M. Simon a prononcé votre nom.

Duvignaud revint dans la salle, ouvrit un classeur, fouilla dedans et, retirant une pièce d'un dossier, il annonça :

— Il s'appelle Fergiteau Louis. C'est celui qui a prêté de l'argent ici pour l'affaire de l'épicerie centrale... S'il revient et que je sois absent, il faudra dire que le patron est en voyage... même s'il est là.

Depuis des mois, à l'étude, c'était ainsi : on y faisait des affaires louches dont les moindres étaient des prêts à la petite semaine.

Le visiteur était descendu au *Lion d'or*. Il ne se nommait point Fergiteau, mais bien Spencer

9

Elias. Quant à savoir d'où il venait, on ne s'en
était pas préoccupé. Une voiture l'avait amené ;
la voiture, sans dételer, était repartie par la
route de Bordeaux — et il avait annoncé qu'il
resterait deux ou trois jours. Il avait déjeuné, il
avait fait une promenade jusqu'au haut de la
côte, un peu plus loin que la maison Perrier ; il
s'était rendu chez le notaire... Voilà tout ce que
l'hôtelier put répondre au fils Duvignaud qui
l'interrogea à l'heure de l'apéritif.

Or, sans souci du froid, l'étranger avait ensuite traversé la ville, avait gravi le chemin de
la Tartane, et il avait pénétré dans le cimetière.

Arrivé à l'allée de la chapelle, il prit à gauche,
retira son chapeau, et subitement s'arrêta.

Il était devant le caveau de la famille Perrier.

Il regarda sur sa droite, fit deux pas qui le con-
duisirent près d'une croix noire, se pencha, lut
l'inscription et, jetant son chapeau dans un geste
de colère, se prenant la figure à deux mains, il se
laissa tomber sur les genoux.

Il était sur la tombe d'Honorine, et c'était
M. Patrice Perrier.

*
* *

Il pleura comme un enfant, à gros sanglots ; puis, s'inclinant, il baisa la terre, se releva, fit le tour de la tombe et se courba vers la croix voisine.

Il lut : *Ici repose dame Louise Jousseaume, née...*

Il se signa.

A côté, il y avait une grande place vide sur laquelle l'herbe poussait et, un peu plus loin, au bord d'un sentier, entre deux cyprès, la tombe de Désiré Lefranc, devant laquelle Patrice médita longtemps et pria.

Avant de sortir du cimetière, il s'agenouilla encore devant le caveau des Perrier.

Quand il redescendit la côte de la Tartane, il marchait droit, à grandes enjambées, le pardessus ouvert, la canne sous le bras et les mains au dos, en homme robuste dont les muscles assouplis laissent l'esprit libre de vagabonder.

Au croisement du chemin et de la rue qui conduit en ville, il prit à droite et se dirigea vers l'hospice ; mais arrivé devant la porte du grand bâtiment, il marqua une indécision... Finalement, il poursuivit sa route, lentement, en regardant les hautes fenêtres dont certaines étaient déjà éclairées. Et puis, il se perdit dans la campagne.

A la grosse nuit, il rentra au *Lion d'or* et dîna dans sa chambre.

Le lendemain matin, il montait dans la voiture publique qui avait remplacé la diligence. Il emportait ses bagages : une valise et un sac de cuir qui avaient dû en voir de dures.

— Monsieur nous reviendra-t-il bientôt ? demanda l'hôtelier.

Il répondit que non.

On le salua jusqu'à terre parce qu'il avait donné de bons pourboires et qu'il n'avait pas lésiné pour payer sa note.

La voiture roulait déjà.

— Qui ça peut-il être ? dit l'hôtelier à sa femme.

— Sûrement pas un voyageur de commerce ! Mais, fit-elle, on le saura par Nollet quand il reviendra.

Nollet n'apporta aucun renseignement : son client n'avait pas ouvert la bouche pendant les six lieues du trajet ; il l'avait conduit à la gare et l'avait vu prendre un billet de première classe pour Paris.

Il se confirma qu'on avait eu affaire à ce Fergiteau dont avait parlé le fils Duvignaud, et cela, trois jours plus tard, dut passablement inquiéter le notaire, car il donna des instructions à ses clercs : si ce client rébarbatif se présentait encore, on devrait le faire patienter ; pendant ce temps, le saute-ruisseau sortirait de l'étude, passerait par le jardin et préviendrait le patron qui aviserait.

Le fils Duvignaud avait donc eu raison. C'était toujours ce dadais-là qui, fourrant son nez partout, connaissait le mieux les affaires de l'étude.

*
* *

Il y avait dix jours que Nollet avait fait le voyage à la gare quand un « huit-ressorts » ramena celui qu'on nommait Fergiteau.

Le landau était fermé. La neige couvrait le pays.

Près du cocher couvert d'une peau de bique, coiffé d'une casquette à oreilles et emmitouflé d'un gros cache-nez écossais, il y avait les deux grosses valises qu'on avait déjà vues au *Lion d'or*, ainsi qu'une malle.

A l'avant-dernière côte, l'attelage s'arrêta, le cocher sauta de son siège et constata qu'un des traits venait de se rompre. Il ouvrit la portière, expliqua le contretemps, s'excusa :

— J'ai de la ficelle, dit-il. En cinq minutes, j'aurai réparé ça.

Patrice descendit, s'approcha de l'attelage, examina le trait, tira de sa poche un couteau qu'il tendit à l'homme :

— Il y a un poinçon.

Et, revenant à la portière, il proposa à son compagnon de marcher pour se réchauffer.

Un vieillard apparut, s'appuya sur le bras de Patrice, mit pied à terre, embrassa le paysage d'un coup d'œil et s'exclama aussitôt, reconnaissant le pays :

— Oh ! mon ami, nous sommes presque arrivés !

Et ils se mirent en route à pied.

— Je n'avais jamais pensé que je reviendrais ici en de pareilles circonstances ! reprit-il en soupirant. Je n'avais même jamais pensé que j'y reviendrais !...

Quand ils eurent atteint le plateau, ils ralentirent pour souffler. A l'exception de quelques champs, la campagne était blanche. Sur leur gauche, il y avait des hommes qui surveillaient leurs lacets tout en rabattant les vols d'alouettes sur les appeaux.

Un gamin passa près d'eux en courant.

— Tenez ! dit Patrice à Me Bousseron, celui-là, je le reconnais. C'est le saute-ruisseau de votre ancienne étude.

— Mais, nous ne sommes pas dimanche !

— Hé ! non !... Il faut croire qu'on fait dimanche trois ou quatre fois par semaine chez Me Lasser.

Et, aussitôt ramenés à leurs préoccupations, Patrice Perrier reprit :

— Croyez-moi ! Nos renseignements sont bons ; par conséquent, il faut opérer comme je vous ai dit. Avec des canailles, on ne peut pas agir autrement. Vous resterez au *Lion d'or*. Moi, j'irai chercher Célestin Duvignaud, je l'amènerai à l'étude, je réglerai mon petit compte avec lui et avec votre successeur, en deux temps, sans traîner ! Il est préférable que vous ne vous en mêliez pas. Une fois les reconnaissances signées, je tiendrai mes bonshommes ! Alors, je vous ferai prévenir. Vous viendrez, et vous ferez le reste. Ce sera facile... avec la peur du gendarme.

— Cela remplace la probité.

— Bien sûr !

— Mais, dit Mᵉ Bousseron, s'ils vous résistent ?...

— Qui ? Célestin Duvignaud ?...

Patrice eut un rire bon enfant en montrant son gourdin :

— Il n'y a que les braves gens qui résistent à cet argument.

— Allons ! soupira Mᵉ Bousseron, rassuré.

Et il ajouta :

— Ah ! mon cher Patrice, comme vous avez changé !

La voiture les rejoignait. Ils reprirent leur place.

Une demi-heure plus tard, Mᵉ Bousseron entrait au *Lion d'or*, tandis que Patrice, qui avait sauté de la voiture au moment où elle passait sous le porche, traversait la ville et se dirigeait vers sa maison.

Il entra sans frapper, en maître, et la parole haute, demanda :

— Célestin Duvignaud !

— Que lui voulez-vous ?

— Je veux voir Célestin Duvignaud !

— Il n'est pas là, répondit sa femme. Il est dans la grange.

Elle marcha vers la porte, l'appela, revint et, examinant le personnage en lui offrant de s'asseoir, elle eut une exclamation d'épouvante.

— Hé ! oui, dit Patrice Perrier. Vous me reconnaissez bien !

Et comme elle faisait un pas pour sortir, il lui ordonna sur un ton qui ne souffrait pas de désobéissance :

— Restez ici !

— Qu'est-ce qu'on me veut ? dit Célestin Duvignaud.

Il s'arrêta net en voyant cet homme dressé devant lui. Il eut une seconde d'hésitation, blêmit affreusement et, serrant les lèvres, avalant sa salive, ouvrant la bouche, essayant de sourire, il parvint à articuler :

— Ah ! par exemple, ça !... Ah ! ben ! c'est... c'est M. Perrier !... Asseyez-vous ! Vous êtes toujours chez vous, ici.

— Toujours ! dit Patrice. Je pense comme vous. Et...

Il plongea le bout de sa canne dans le brasier de la cheminée, bouscula les bûches et les rondins :

— Et qu'avez-vous donc fait de l'argent que vous avez trouvé là ?... Allons ! Je sais que vous l'avez placé chez le notaire, n'est-ce pas ?...

— Certainement ! répliqua l'autre subjugé.

— Très bien ! Donc, nous allons chez le notaire ! Quelqu'un nous y attend.

Duvignaud, qui flageolait, prétexta qu'il ne pouvait pas quitter la maison avant le déjeuner.

Comme s'il ne l'avait pas entendu, Patrice lui tendit sa casquette, montra la porte et, sans un regard pour la maison, il le fit passer devant lui.

Derrière eux, la femme Duvignaud s'effondra sur une chaise.

Après quelques pas dans la descente, Duvignaud voulut engager la conversation. Patrice ne lui répondit pas. Il regardait à droite, à gauche, retrouvait le pays — son pays ! — et son émotion grandissait à chaque chose reconnue. Était-il possible qu'il fût à nouveau là où il avait vécu si doucement, d'où il était parti enfant, où il revenait si transformé qu'il avait le sentiment d'être un étranger au milieu de ce cadre charmant où tout lui était cependant familier ?... Qu'il aurait été bon de se glisser sans bruit dans ce berceau et d'y reprendre l'existence de jadis !

Mais dès les premières maisons de la ville, il reconquit son énergie et, quand il fut devant l'étude du notaire, tandis que Duvignaud tapait du pied pour faire tomber la neige de ses souliers et pour gagner du temps, il dit sèchement en le poussant devant lui :

— Entrez, allons !

Une fois dans le couloir, sans frapper, il ouvrit la porte des clercs et demanda Me Lasser.

— Il est occupé, répondit le fils Duvignaud, qui s'était levé précipitamment, stupéfait de voir son père à côté de celui dont on redoutait la venue. Je vais le prévenir... Monsieur Fergiteau, n'est-ce pas ?

Patrice le dévisagea, sourit, et haussa les épaules.

Dans la pièce voisine, il y eut un long conciliabule.

Patrice regardait le vieux clerc qui, penché sur sa besogne, écrivait à la place où, jadis, écrivait le père Lefranc, et le tumulte dans sa mémoire fut tel qu'il détourna les yeux pour repousser l'attaque que continuait de lui livrer le passé. Mais, à cette autre table, il reconnut sa propre place... C'était là qu'il avait pleuré quand le cher vieux lui avait fait avouer le secret de son cœur d'enfant, et c'était là encore que...

Il marcha dans la pièce, exaspéré de sentir qu'il allait être vaincu par tant de souvenirs qui secouaient leur poussière.

Enfin le clerc reparut, tenant des papiers à la main.

Mᵉ Lasser le suivait en se frottant les mains, le visage amène, et, levant haut les sourcils, il s'arrêta soudain. Mais avant qu'il fût revenu de son étonnement, Patrice avait poussé Célestin Duvignaud dans le cabinet du notaire, était entré, avait fermé la porte, et il disait :

— Je suis M. Patrice Perrier.

Le notaire se laissa tomber dans son fauteuil.

— Celui-ci, commença Patrice, en désignant de son bâton Célestin Duvignaud, a trouvé chez moi la somme de cent vingt-cinq mille francs, en louis et en écus, que j'avais placée dans un coffre fermé dont voici la clef. Il reconnaît que cet argent est chez vous. Je désire que vous me le remettiez.

— Mais...

— Il n'y a pas de « mais ». Je viens chercher cet argent, reprit paisiblement Patrice. En outre...

Il eut une courte pause :

— J'exige que dans les quarante-huit heures le sieur Duvignaud ait vidé les lieux qu'il habite indûment, et que tous les meubles et objets qui m'appartiennent soient remis à la place qu'ils occupaient quand il a pris possession de l'immeuble. Il devra verser entre vos mains le montant du bail que vous lui avez consenti, sans y être autorisé par moi, d'ailleurs ! Voilà pour lui !... Maintenant, à nous deux ! Vous voudrez bien me présenter mon compte de rentrées, tant pour le capital liquide dont Me Bousseron vous a passé la charge que pour les loyers de ma ferme et de mes deux maisons.

Le notaire, qui s'était un peu reconquis, voulut le prendre de haut et, souriant, argua qu'avant tout il fallait prouver que la personne ici présente était M. Patrice Perrier.

— Pas la peine, dit Duvignaud. C'est bien lui !

Un peu décontenancé, les regards vagues, Mᵉ Lasser poursuivit :

— Admettons !...

— Pas sur ce ton ! lança Patrice.

— Enfin, j'ai le droit...

— Vous avez seulement le devoir de m'obéir sans discussion... Oh ! ne le prenez pas ainsi ! J'ai sur moi d'excellents arguments : si ceci ne suffisait pas...

Il agitait une lettre.

— ...Cela vous ferait mieux comprendre que vous auriez tort de me résister.

Et il montrait son bâton.

— D'ailleurs, je sais que vous vous entendez aux affaires. Alors, je suis tranquille ! Vous connaissez cette écriture ?... demanda-t-il en lui mettant sous le nez la lettre qu'il avait aux doigts. C'est, à peu près, celle de Mᵉ Bousseron. La signature est assez mal imitée... Peu importe ! Quand cette lettre est partie d'ici, il y avait beau temps que Mᵉ Bousseron était à Marseille ! Est-ce vous qui l'avez écrite ?...

— Ça n'est pas moi !

— C'est donc quelqu'un de chez vous. Pourtant, comme il faut mettre cette affaire au net...

Il ouvrit la porte des clercs :

— Vous, venez ici ! dit-il en désignant le fils Duvignaud.

Il referma la porte derrière le drôle et, de suite, lui tendant la lettre, il lui demanda :

— Vous la reconnaissez ?...

Devant sa mine, il éclata de rire :

— Ah ! j'arrive de loin, mais je n'ai pas vu mieux que vous trois, dans votre genre !... Par conséquent, nous n'allons pas baguenauder. Voici deux papiers à signer immédiatement, un par vous, Duvignaud, l'autre par vous, Lasser.

Il les plaqua sur le bureau, arracha une plume de l'écritoire et, le bâton à la main, ordonna :

— Signez !

C'étaient deux pièces inattaquables, en règle. Par l'une, Célestin Duvignaud reconnaissait avoir trouvé, sous l'âtre de la maison de Patrice Perrier, la somme de cent vingt-cinq mille francs qu'il avait déposée chez Mᵉ Lasser, pour être versée à son propriétaire quand il reviendrait ; il s'engageait, en outre, à rendre à M. Patrice Perrier sa maison, ses meubles, hardes, et tout ce qui lui appartenait ; par l'autre, Me Lasser se déclarait responsable de ce dépôt, ainsi que de tout ce qui relevait du compte de M. Patrice Perrier, à lui remis par Me Bousseron, ainsi que des biens légués par M. Désiré Lefranc et par demoiselle Honorine Dubost.

Subjugué, Célestin Duvignaud signa, mais le notaire se refusa à l'imiter tant qu'il n'aurait pas écrit à Me Bousseron.

— Il est au *Lion d'or*, annonça Patrice. Envoyez-le chercher.

Les trois hommes qu'il avait devant lui étaient comme des bêtes traquées.

Néanmoins, le notaire, qui essayait encore de plastronner, commanda au fils Duvignaud d'envoyer le saute-ruisseau à l'hôtel.

— Votre saute-ruisseau est sur le plateau, à chasser les alouettes, lui dit Patrice en riant. C'est plus sain pour ce gamin. Mais vous avez votre vieux clerc qui pourra faire la course, ajouta-t-il en ouvrant la porte.

Et, quand le vieux clerc fut parti, il s'assit dans un fauteuil, sans articuler un mot, regardant cette pièce qu'il connaissait si bien, où avait vécu un austère et bon tabellion, où, maintenant, il y avait un malfaiteur qui, le torse droit, la tête haute, les yeux baissés, regardait le billet qu'il faudrait bien signer tout à l'heure.

Patrice relut la lettre qui lui était parvenue en Amérique, celle qui l'informait de la mort d'Honorine et des dispositions qu'elle avait prises :

« Elle lègue sa fortune, argent liquide et petites créances », lui écrivait-on, « à Célestin Duvignaud qui s'est montré très bon pour elle et l'autorise, en outre, à occuper la maison, à condition de prendre à sa charge toutes les réparations, et sous promesse enregistrée de la remettre à M. Patrice Perrie au cas où il reviendrait au pays... »

— Mon vieil ami, dit Patrice, dès que Me Bousseron entra, nous avons devant nous d'assez vilains oiseaux. Voici le billet que celui-ci m'a signé. Quant à l'autre, il me semble qu'il signera quand vous l'aurez informé de votre intention à son égard. Je conserve sur moi le faux qui a été fabriqué ici.

Me Bousseron, les yeux secs, montra la porte au père et au fils Duvignaud, pria Patrice de

l'attendre dans la pièce voisine et, s'approchant
de son successeur, il lui dit, tremblant :

— Pourquoi a-t-il fallu que vous occupiez
cette place où, durant quarante ans, rien de
malhonnête n'a été fait ! Je me demande ce qui
me retient de vous étrangler !... Vous êtes une
canaille ! Mais j'ai de quoi vous envoyer aux
galères !...

*
* *

Quand il reparut, il chuchota vivement à
Patrice :

— C'est fait ! J'ai le papier. C'est un misérable !

Alors, Patrice, qui avait empêché les deux
Duvignaud de s'éloigner, leur donna la liberté.

Me Bousseron lui prit le bras et ils quittèrent
l'étude.

Matant son indignation, le vieux notaire racontait l'entrevue. Mais, lorsqu'il se retrouva
dans sa chambre, à l'hôtel, il ne se contint plus
et les larmes le gagnèrent.

— Ma maison !... Qu'a-t-il fait de ma maison,
le misérable !

Enfin, quand il fut un peu calmé, Patrice lui dit :

— Maintenant, il faut que je m'occupe de cette malheureuse !

— Mon cher enfant, ce que vous ferez sera bien fait. A ce propos, j'ai vu le docteur Bertin... Je l'avais fait prévenir. Nous étions ensemble quand on est venu me prier de passer à l'étude. Ah ! j'en ai appris sur ce qu'on a fait depuis mon départ !... Vous ne savez pas tout, allez ! Quelles canailles !... Ce soir nous dînerons chez le docteur... Il vous racontera cela !

Dans l'après-midi, Patrice se rendit à l'hospice. L'homme hardi qu'il était devenu allait le cœur battant, plein de doutes et d'espoirs chimériques, pareil au grand enfant timide qu'il était jadis. Durant les longs jours de la traversée, il avait relu toutes les lettres qui étaient arrivées pour lui chez l'agent de France et qui, en un seul paquet, lui avaient été remises au moment où il quittait l'Amérique. D'un seul coup, l'histoire de la vie qu'il avait abandonnée lui avait été révélée — une histoire de onze années, dans laquelle des noms revenaient sans cesse : Honorine, Désiré Lefranc, Mme Jous-

seaume, Gabrielle. Gabrielle !... Elle lui avait
écrit si souvent, elle lui avait dépeint leur existence avec tant d'application !... Ses dernières
lettres étaient brèves et il y planait comme une
impondérable buée qui noyait les idées ; mais
dans les autres, si claires, il n'y avait rien sur
elle-même, qui aurait pu le mettre sur la voie
secrète de son cœur. Était-il inaccessible ? Elle
n'avait parlé ni de ses déceptions, ni de ses
grandes peines. Elle était demeurée la madone
qu'on prie, mais qui ne répond pas. Le père Lefranc avait bien écrit : « Elle vous aime, Patrice ;
elle n'a jamais cessé de vous aimer !... » Ces mots
merveilleux, de quelle lumière l'éloignement les
avait parés ! Le père Lefranc avait-il dit la
vérité ?... Et depuis son retour, quand on l'avait
renseigné à Bordeaux, que lui avait-on appris
sur elle ?...

Au moment de sonner à la porte de la sœur
tourière, il fut pris d'une angoisse qui faillit lui
faire rebrousser chemin. Il s'imaginait n'arriver
de si loin que pour voir le corps d'une morte
passionnément chérie.

Et lorsqu'il se trouva devant la religieuse, il
ne fut pas plus courageux.

— Je savais que vous deviez venir, lui dit la
sœur. M. le docteur nous avait prévenues. Ah !
c'est une bien gentille personne que Gabrielle !
La malheureuse !... Ce sont les chagrins qui l'ont
conduite chez nous. Nous l'aimons beaucoup.
Pensez donc, moi, il y a... Ah ! je ne sais plus !
Je l'ai connue autrefois, avant son mariage. Je
la voyais le mercredi et le samedi, quand j'allais
chercher les rognures à l'hôtel. Eh ! oui, c'était
le beau temps pour elle, si douce, si jolie !

— Elle a dû bien changer !

— Non, je ne trouve pas. Elle est comme ça,
vous comprenez ?

La sœur eut un geste de main au-dessus de
sa cornette.

— Elle ne parle pas, voilà ! Elle ne s'intéresse
à rien. Le docteur dit qu'il faudrait l'obliger à
parler. Pour cela, on devrait toujours être à
côté d'elle. C'est difficile. Et, voyez ! Elle se
porte bien ; elle mange comme vous et moi ; elle
fait son ménage, elle brosse ses robes... Elle est
propre, gentille. Je vais vous l'amener !

Elle sortit en courant, emportant le bruit de
son rosaire, de ses croix et de ses clefs.

Patrice était tout tremblant.

Et, dans l'encadrement de la porte, Gabrielle apparut, droite, et s'arrêta, faisant des yeux le tour du parloir comme pour y découvrir quelqu'un.

— Entrez, ma chère fille, entrez ! dit la sœur en la poussant doucement. C'est un ami qui veut vous parler. Venez par ici, monsieur. On ne vous voit pas... Je vous laisse. Je reviens dans un instant.

Patrice s'était avancé, livide, les bras écartés. Il articula « madame », « mademoiselle ». Il finit par prononcer :

— Gabrielle !... Gabrielle, me reconnaissez-vous ?

Elle répondit :

— ...Vous êtes celui qui monte la rue, une cloche sur l'épaule...

Il éclata en sanglots, tenta encore de se faire comprendre d'elle, mais elle balançait la tête, comme si elle acquiesçait.

Il lui parla de sa mère, du père Lefranc, d'Honorine.

Elle répéta, d'une voix blanche :

— Lefranc... Honorine !...

Elle redressa la taille, haussa les sourcils ; ses

regards montèrent sans que sa tête se rejetât en arrière.

Il reprit :

— Je suis Patrice !... Patrice Perrier !...

Elle ne bougea pas.

Patrice tomba à ses genoux, lui baisa les mains, adjura Dieu de la lui rendre...

Elle le laissa faire et, même, le regarda. Pourtant, elle ne semblait pas être touchée par sa ferveur.

Il se releva en entendant revenir la religieuse.

— Voyons, Gabrielle ! dit la sœur. Voyons, ma fille ! Vous l'avez bien reconnu ? C'est M. Patrice Perrier ! Vous vous rappelez, quand vous vous promeniez sous la charmille ?...

Elle se tourna vers Patrice :

— Il y a six mois, dans un de ses bons jours, elle m'en a parlé, de votre charmille ! Revenez donc demain matin. C'est le moment le plus propice... Allons, Gabrielle, répétez : « Au revoir, monsieur ! »

Elle eut un sourire fugace.

La religieuse s'exclama, heureuse :

— Ah ! vous voyez !... Allons, Gabrielle, répétez : « Au revoir »...

La malheureuse eut des hochements de tête. Patrice s'enfuit.

*
* *

Après le dîner, le docteur qui avait étalé tout ce qu'il savait sur la mort d'Honorine et de Mme Jousseaume, et sur les agissements de Duvignaud que personne n'aimait, demanda soudain à Patrice :

— Puisque vous l'avez vue, maintenez-vous vos projets ?... Mon vieil ami Bousseron m'a confié vos intentions.

— Je ferai ce que je me suis promis, répondit paisiblement Patrice.

Le médecin se frotta le menton en réfléchissant.

— Après tout..., fit-il, pourquoi pas ? J'estime, moi, que nous n'avons pas affaire à une folie complète. Il y a des exemples. C'est l'idée fixe qui a fait éclore celle-là, une idée fixe assez douce, probablement. Alors, tout ce qui n'était pas cette idée a fini par disparaître du cerveau.

Pour guérir la malade, il faudrait la rééduquer complètement... C'est possible ! Il faudrait s'y appliquer. Dans tous les cas, elle n'est pas méchante. Quelle belle créature c'était ! Elle n'a pas beaucoup changé, n'est-ce pas ?

— Elle n'a pas changé ! répondit Patrice avec fermeté.

Pour lui, en effet, elle était restée la même.

— Dans ce cas, mon cher enfant, dit Mᵉ Bousseron, agissez comme vous en avez décidé. On clabaudera, on...

Patrice secoua les épaules :

— Je reviens d'un pays où l'on n'a pas de tels soucis.

— Oui. Seulement, ce pays est loin du nôtre...

— On dira, chantonna le médecin, que vous devez songer au petit héritage de Mᵐᵉ Gabrielle Jousseaume...

Patrice eut un haussement d'épaules :

— Dans quinze jours, dès que ma maison sera remise en état et que j'aurai des domestiques, elle sera installée chez moi.

Le lendemain matin, il se présentait de nouveau à l'hospice. La sœur tourière eut une joyeuse exclamation :

— Ah !... Aujourd'hui, je vous retrouve, monsieur Patrice !

Il s'était fait raser la barbe.

Lorsque Gabrielle lui fut amenée, il lui posa la même question que la veille en cherchant ses regards.

Elle ouvrit grand les yeux, fronça les sourcils ; son front se plissa, ses lèvres eurent des contractions, mais il était impossible de pressentir quelles pensées l'emporteraient dans ce combat qui se livrait en elle.

Le médecin, qui assistait à l'entrevue, prit Me Bousseron par le bras et l'emmena dans le couloir.

— Nous n'avons jamais obtenu ça d'elle !... Jamais !

Me Bousseron pleurait.

ÉPILOGUE

CE qu'on vient d'écrire ici est exactement l'histoire de la maison de Patrice Perrier.

Les noms patronymiques ont été déguisés et,
à l'exception de Mlle Jousseaume qui se nommait vraiment Gabrielle, les prénoms des per-
sonnages ont été changés. On aurait pu, sans
grand risque, conserver ceux-ci et ceux-là s'il
n'y avait, dans un repli de cette histoire, la con-
clusion d'un drame abominable dont on n'a pas
voulu faire état.

Pour la même raison, le nom de ce pays n'a
pas été cité une seule fois au cours du récit. On
sait qu'il se trouve au sud de Vierzon et de
Valençay, et que, jadis, il y passait une ligne de
diligence du service de Bordeaux.

Il eût été imprudent de préciser. Les héritiers
indirects et lointains de Patrice Perrier auraient
eu motif de s'émouvoir, eux qui ont été frustrés
d'une assez jolie fortune dont l'hospice de la
ville a bénéficié.

Il aurait suffi de nommer l'endroit où est toujours la maison de Patrice Perrier, au bout de la côte, à gauche quand on a quitté la place, ou bien d'écrire le nom sous lequel on a connu l'homme qui a été le premier mari de Gabrielle Jousseaume, pour que la piste de la vérité fût aussitôt révélée. Le véritable nom de Sénart, le public l'ignore. C'est celui d'un criminel qui a payé de sa tête, et d'une façon trop expéditive, la lourde et sanglante dette qu'il avait contractée envers la société.

Lorsque, en 1852, Jousseaume, du *Lion d'or*, obligea sa fille à prendre pour mari ce Sénart, qui se disait voyageur de commerce, il ignorait qu'il la livrait à un forban que la police de deux gouvernements recherchait déjà. Plus tard, Jousseaume a peut-être connu l'état civil authentique de son gendre? Il est possible que ce soit cette révélation qui ait déterminé son suicide...

Gabrielle a-t-elle été mise au courant de l'épouvantable vérité?... C'est possible aussi. Du moins, il est certain qu'elle n'a pas su où avait fini l'homme à qui elle avait été mariée. Il a été exécuté en 1871.

On n'a pas voulu que le souvenir de l'âme sereine et probe que Patrice a si patiemment ramenée à la raison en fût jamais troublé.

Il n'y a pas si longtemps que Patrice a rejoint dans le domaine du repos éternel l'idéale fiancée dont le cœur lui avait été fidèle jusqu'au bout, et de la façon la plus romantique.

Ils dorment tous les deux côte à côte, dans un cimetière de province dont les hautes silhouettes des cyprès, par-dessus la ville, se voient de la maison de Patrice Perrier.

FIN

IMPRIMERIE NELSON, ÉDIMBOURG, ÉCOSSE
PRINTED IN GREAT BRITAIN